ロスジェネ心理学

生きづらいこの時代をひも解く

精神科医
熊代亨
Kumashiro Tohru

花伝社

ロスジェネ心理学——生きづらいこの時代をひも解く◆目次

第3章　ミソジニー男とクレクレ婚活女の織りなす空前のミスマッチ

第4章　取り扱い要注意物件としての自己愛

第5章　SNS時代のコミュニケーション

第7章　私達の義務と責任——次世代に何を残せるのか

はじめに

「私達は、空前の豊かな時代に生まれたのではなかったのか」

1970～80年代前半にかけて生まれた世代は、有史以来、どの時代の子ども達よりも物的に恵まれた〝飽食の時代〟に生まれ、育てられてきました。高度成長期は終わっていましたが、それはあくまで大人の世界の話。当時の私達（私もこの世代の人間なので、本書では1970～80年代前半生まれの世代のことを〝私達の世代〟と書きます）子どもは、テレビ・ファミコン・ビデオデッキ・エアコン・子ども部屋・漫画雑誌といったものが子ども専用アイテムとして普及していく過渡期を身をもって体感した世代でした。

〝末は博士か大臣か〟と親から期待され、厳しい受験戦争を戦った世代でもあります。勉強さえ出来れば立身出世につながるという受験システムが、知識階級の子弟ばかりでなく庶民にまで認知され、出自や親の職業とは無関係に誰でも自分の夢に向かって突き進めるようになりました。

では、未曽有の豊かさに恵まれた子どもだったところの私達は、どのような大人になって、どれぐらい幸福に生きているでしょうか。

皆さんもご存知の通り、私達の多くは、幸せにも満足にもほど遠い日々を、のたうつように過ごしています。とりわけ経済面において、「こんな筈じゃなかった」と思っている同世代人は非常に多いと思います。

そして、単身世帯が増え、配偶率だけでなく男女交際そのものが減っているという近年の統計結果が示しているように、私達は親密な人達とあまり時間を過ごさなくなりました。孤独死問題がNHKスペシャル『無縁社会〜〝無縁死〟3万2千人の衝撃』で特集された時、年配者のみならず若年世代からも大きな反響が起こったように、孤独は間近な問題になっています。

一昔前、「21世紀はこころの世紀」というキャッチフレーズを口にする人達がいました。「モノは十分満たされたから、次はこころを充たそう」、というわけでしょう。

ところが、現に迎えている21世紀はどうでしょう、「モノ（金銭）にも恵まれないし、こころ（親密さ）にも恵まれない」――そんな期待はずれの21世紀を私達は生きています。

「どうして私達は、こんな風になってしまったのか？」

本書のなかで私は、このクエスチョンの回答に相当するような、私達の世代が生まれ育った背景について、ひとつの視点を提供してみようと思います。そのうえで、これから私達が何をやれば少しでもマシな未来を迎えられそうなのか、今からでも出来そうな対応策は何なのか、紹介してみようと思います。内容的には、〝私達〟、つまり1970〜80年代前半生まれの人達にフォーカスを絞る形で進めていきますので、より年長・年少の世代には少し当てはまらない部分もあるかもしれません。しかしそれだけに「いまどきの30代・ロスジェネ世代のことがよくわからない」という人の参考にはなると思います。

以下、各章についての簡単な紹介をしておきます。

第1章では、現在の私達の生き様や価値観がどんなものなのか、ざっと眺めてみましょう。「ロストジェネレーション」とも言われるこの世代は、現代をどのように生きていているのか・何に執着して苦しんでいるのか、点検してみようと思います。

第2章では、そうした「ロスジェネ世代」が困った有様になってしまっている原因について検討します。本書ではとくに、心理的な要因に重点を置いて、ロスジェネ世代のメンタリティが形成された昭和後期～平成初期を振り返って由来を紐解いてみたいと思います。

第3章では、男女交際や結婚について触れてみます。私達の世代は、お見合いが盛んだった世代のように結婚できるわけでもなく、さりとて若い世代のようにメディアコンテンツで恋愛感情を代償していればOKと割り切ることも出来ない、微妙な恋愛観を抱えている人が多いように見受けられます。世代の端境期ならではの恋愛観・結婚観について考えていきたいと思います。

第4章では、そんな私達の心理的問題について、精神分析の一派・自己心理学の「自己愛」に関するモデルを用いて解説します。自己中心的であること・自己実現を目指すことが与件として語られる現代人のメンタリティを理解するにあたって、自己愛というキーワードは避けて通れません。21世紀の自己愛はどんなもので、20世紀のそれとはどこが違うのか、説明します。

第5章では、インターネットが普及した現代におけるコミュニケーション、特に自己愛を充たすためのコミュニケーションについて紹介します。ネットメディアを用いたコミュニケーションが心理的にどのような影響を与えているのか、そして特に私達の世代にどのように位置づけられるのか、考えてみます。

ここまでは現状分析が中心で、ここからは今後の対応策について書きます。

第6章では、コミュニケーションに苦手意識を持つ人に出来る事・やっておいたほうが良い事について考えてみます。コミュニケーションの上達は、どんなに素養のある人でも必ず長い時間がかかります。なので本書では、長期スパンでコミュニケーションの技能を身につける方法や長期スパンの人間関係を育む方法に重点を置きながら、個々人の社会適応の可能性について提言してみます。

最後の第7章では、私達の次の世代のことについて書きます。私達が昭和後期～平成前期に形作られたように、次世代の子ども達は今この瞬間に形作られています。次世代の育成を引き受けている私達に出来る事・やっておかなければならない事について、提言したいと思います。

「なぜ、現役の精神科医が、こんな本をわざわざ書いたのか」

かなり前から私は、現代人の苦しみがどういうものか、その苦しみがどこから生まれてくるのかについて考え続けてきました。その理由は、一精神科医として社会との摩擦に耐えきれなくなった人に沢山出会ってきたから、というのもありますし、私自身、学校生活に適応できずに不登校を経験し、社会に出てからもコミュニケーションで散々苦労したから、でもあります。とにかく私は、社会適応がこれほど難しくなってしまっている世の中に、納得いかなかったのです。

精神科医になって間もなかった頃の私は、こうした現代固有の苦しみやこころの問題について、書籍や論文を調べてまわりました。しかし、現代精神医学はこうした問題に対して多くのことを語ってくれません。なぜなら、現代精神医学は「どういう症状の人を何と診断するか」「精神疾患をどう治療するか」には研究熱心でも、「現代社会固有の苦しみとは何か」なんて話にはそれほど熱心ではないからです。

例えば、発達障害の診断と治療については多くの論文が書かれていて、日々進歩しているという実感があるのですが、「なぜ、現代というタイミングで発達障害が障害としてクローズアップされるようになったのか」「なぜ、発達障害の人が生きにくい時代になったのか」といった問いには、現代精神医学は饒舌ではありません。ですから、診察室の外で悩んでいる人向けのヒントや、メンタルヘルスを損ねやすい社会全体をまなざすためのヒントを現代精神医学に期待してもしようがないな、と私は思うようになりました。

一方、古い時代の精神分析家――フロイトやE・エリクソンのような――は、こうしたヒントになりそうなエッセンスを色々書き残していて、それなりに参考になりそうな様子でした。ところが古い時代の彼らは、それぞれ自分が生きていた時代・地域を前提に文章を書いているわけで、それを現代日本にそのまま当てはめるわけにもいきません。例えばフロイトは19世紀のヨーロッパ、エリクソンは20世紀中頃のアメリカの人であって、21世紀の日本を見聞しながら文章を書き残したわけではないのです。

日本の有名な精神科医の本にしても、生まれ育った時代や世代が違っているわけですから、見え方や書き方には、それぞれ時代固有のものがあると思います。和田秀樹さん（1960年生）や斎藤環さん（1961年生）といった精神科医にしても、団塊ジュニア世代とは十年以上の年の差がありますし、団塊ジュニア世代以降のメンタリティについて、同世代の精神科医が何かをまとめて語っているさまを私は見たことがありません。

ですから私は、この時代を生き、精神医療にも関わる当事者の一人として、私達の抱えている問題と解決案について書いてみたいと思い立ちました。良くも悪くも、私は不登校を経験し、復学後もゲームやインターネットに耽溺し、社会に出てからコミュニケーションの困難さに苦しんだ人間です。そういう当事者兼精神科医から見た現代社会の問題・現代固有の苦しみについて、精神医学や心理学の知識を借りながら、紹介していければと思います。

第1章　俺的に正しく、俺的に間違っている社会

「時代が進歩すれば、そのぶん人間の暮らしも豊かになる」「皆が自由になればストレスの少ない社会が到来する」――そんな思いを打ち砕くような風景が、私達の前には広がっています。

世の中は、確かに進歩しました。昭和時代の子どもが夢見たような〝空飛ぶ自動車〟や〝宇宙旅行〟こそ実現していませんが、平均寿命は恐ろしく延び、個人の自由な選択はかつてないほど尊重され、インターネットを介して人と人とがリアルタイムに繋がれるようになりました。買い物するにしても、ネット通販や大規模ショッピングモールのおかげで、ありとあらゆる品物を、いつでも・どこでも手頃な価格で手に入れることが出来ます。

だから本来なら、現代人は21世紀の暮らしをもっと満喫していてもおかしくない筈なのです。ところが実際はというと、満喫どころか、ヘトヘトになっている人、うんざりしている人、仕方なく今を生きている人がごまんといます。また、技術や自由の恩恵を受けているというより、そういったものに振り回されるまま、お金や時間を浪費したり、心を汚し続けたりしている人も見受けられます。スマートフォンのような、バブルの頃には想像すら出来なかったようなアイテムが普及

しているにもかかわらず、現代人はそれほど幸せにはなっていないのではないでしょうか。なぜ、〝こんなに豊か〟なのに〝こんなに貧しい〟のか？「なぜ」の部分については第2章以降で説明するとして、この章では、そんな〝豊かなのに貧しい〟私達の21世紀について、その生きざまをラフスケッチしてみたいと思います。

1　うつ病？　発達障害？——なぜ精神疾患が増えたのか

現代社会の生き辛さを象徴しているものは色々ありますが、そのひとつに、精神疾患を患う人の数が増えている、というものがあります。

近年、日本では精神疾患を患う人が激増しています。左の図は厚生労働省の統計ですが、平成8年には218万人だった受診者数が、平成20年には323万人になっています。干支が一巡りする間に、ざっと1・5倍になっているのです。

増えている病気の内訳を見ると、アルツハイマー型認知症のように、高齢化によって必然的に増加したと思われる病気もあれば、統合失調症圏のように伸び幅の小さな病気もあります。そんななかで、倍以上の伸び幅を見せているのが「気分障害」と「その他」です。

「気分障害」には、皆さんもお馴染みのうつ病のほか、気分変調症や双極性障害（躁鬱病）などが含まれています。「気分障害」という名前の通り、このカテゴリーの病気に共通しているのは、「気

図1－1　精神疾患の患者数（医療機関に受診する患者の疾病別内訳）

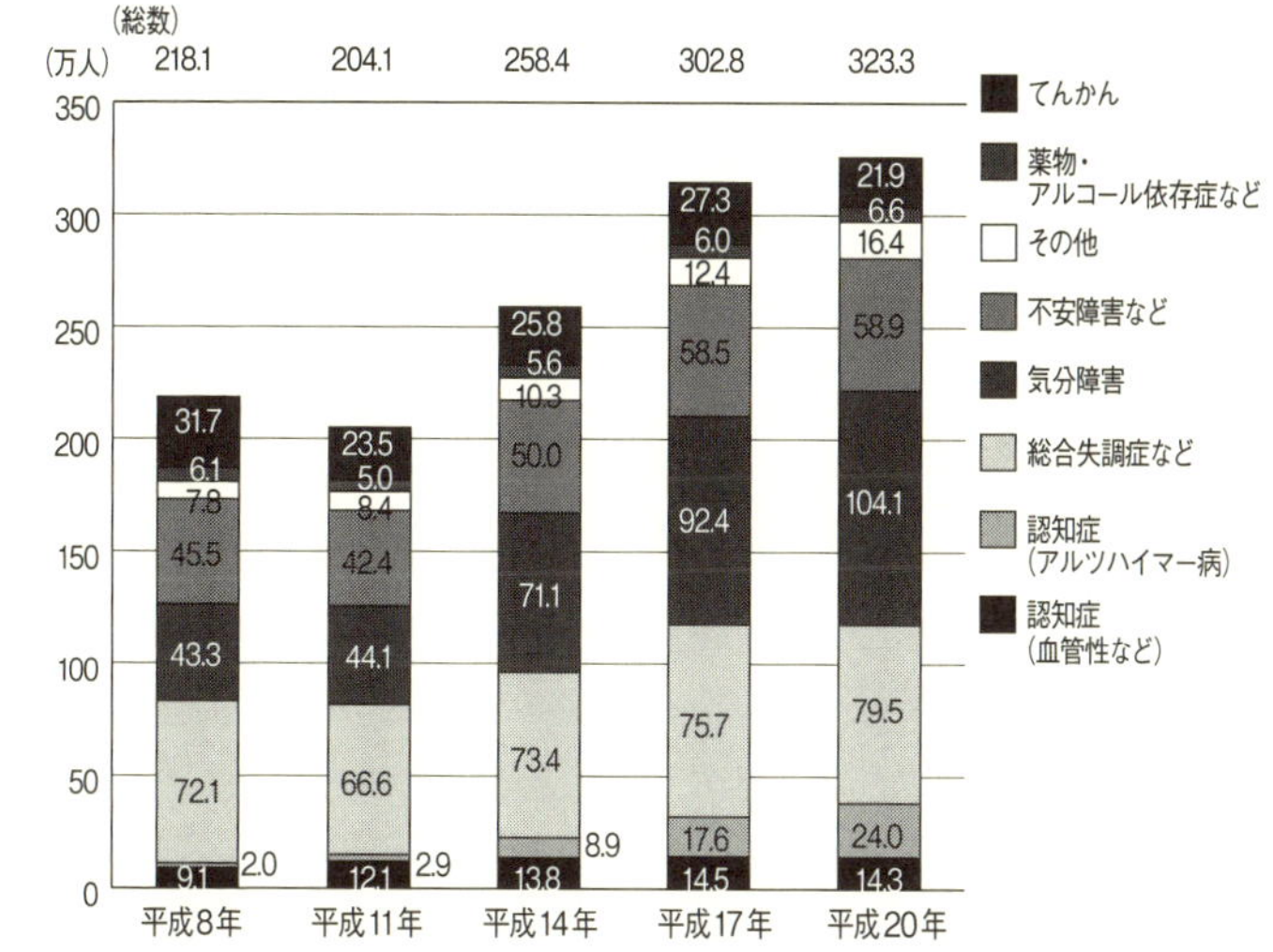

（出典）患者調査

分やテンションのコントロールが失調している」という点です。うつ病なら「気分やテンションが下がりきった状態で上がって来ない」ですし、気分変調症なら「気分やテンションが下がり気味のまま」、双極性障害は「気分やテンションが極端に上下する」です。

21世紀に入ってからは、日本の精神科医はうつ病の診断にやや慎重になっています。なぜなら、従来、うつ病と診断されていた人のなかに、実は双極性障害の人や気分変調症の人がかなり含まれている、と気付きはじめたからです。

最近テレビに〝新型うつ病〟という病名らしきものが登場することがありますが、精神医学の診断体系※1に〝新型うつ病〟という病名は存在しません。「会社ではテンションが低くて働けないけれど、バカンスに行っている間はテンションが高くなる」ような人や、「日常生活の大半はローテンション、けれどもネットオークションをやっている時はテンションが高くて散財してしまう」といった人には、現代の精神科医はうつ病という診断名より、気分変調症や双極性障害といった診断名を考えるでしょう※2。

もちろん、〝新型うつ病〟といわれるような人が実際にはうつ病でないとしても、社会的に気分やテンションを維持しなければならない場面でそれが維持できず、他の場面でばかり気分やテンションが高く、ときに金銭や時間を無駄遣いしてしまうという点では、確かに社会適応に障害をきたしているといわざるを得ません。

※1　DSM-Ⅳや-ICD-10といった、国際的に用いられる疾患分類。

※2　あるいは、パーソナリティ障害系の診断名や神経症系の診断名を検討するかもしれません。とにかく、〝新型うつ病〟的な、「うつっぽいけれどもうつ病ではない人達」を安易にうつ病と診断しないように気をつけるのが、現代の精神医学の業界的トレンドになっている、ということです。

また、倍以上に増加している「その他」に含まれるのは、「発達障害」や「パーソナリティ障害」などです。

「発達障害」には、古典的な知的障害だけでなく、近年話題になっているアスペルガー障害やＡＤ／ＨＤ（AD/HD:Attention Deficit/Hyperactivity Disorder 注意欠陥・多動性障害）などが含まれます。発達障害の人は、先天的な問題と後天的な環境との掛け合わせによって病状が形作られ、空気が読めなかったり、落ち着いて授業が受けられなかったりといった、コミュニケーションや社会適応上の困難さを抱えています。

アスペルガー障害やAD／HDは、かなり昔から精神医学の本に載ってはいましたが、長い間、あまり診断されていませんでした。ところが20世紀末から俄かに注目されるようになり、国内でも診断数が急増しました。昔は、アスペルガー障害やAD／HDは精神科でもかなり珍しい疾患でしたが、〝アスペルガー障害と診断するほどではないが、近い傾向を併せ持っているうつ病〟のように、診断基準に完全一致するには至らずカルテにメモっておく程度のレベルまで含めれば、かなりポピュラーな病態になってきています。

また「パーソナリティ障害」も、20世紀後半から増えてきた精神疾患です。安定した人間関係や社会適応に難を来たすような人柄になってしまうもので、いわば、人格レベルの発達が障害された状態、と表現できるかもしれません。アスペルガー障害やAD／HDといった本物の発達障害に併発していることも珍しくありません。

社会変化と精神疾患の相関

「気分障害」「発達障害」「パーソナリティ障害」がこんなに増えたのは何故でしょうか？

理由のひとつには、〝精神科や心療内科を受診する敷居が下がったから〟もあるでしょう。昭和時代は、「精神病院を受診する＝人生の終わり」的なイメージがありましたし、実際、精神病院に一度入院したらなかなか退院できませんでした。しかし平成時代になると、心理学ブームや心療内科クリニックの増加もあって、精神医療は身近なものになりました。副作用の少ない薬が開発され、製薬会社が〝啓蒙活動〟に励んだことも、患者総数の増加に寄与したでしょう。

しかし、どれだけ心療内科の敷居が下がろうが、良い薬が出ようが、社会生活にそれなり適応し満更でもないような人が、わざわざ手間隙かけてクリニックを受診するわけがありません。精神科を受診し、「双極性障害」「発達障害」といった診断を下される人は、それなりに社会適応やコミュニケーションに困っているからこそ受診に至るのでしょう。

逆に言えば、「発達障害」「双極性障害」「パーソナリティ障害」といった人達も、どうにか生活できている限り、精神科を受診しないものです。例えばアスペルガー障害の男性でも、たまたまコミュニケーションをあまり必要としない職業——機械や書類を相手にするような職業——に就き、お見合い結婚をして、子育てを家族任せにしていたら、その人がコミュニケーションに悩む可能性はかなり小さいでしょう。２０１２年では、こんな男性は幸運な部類に入るかもしれませんが、昭和時代には、こうした男性はさほど珍しくは無かったはずです。現在精神科で発達障害の診断を受ける人のうち、特に軽症例の人達を診ていると、私は「ああ、もしこの人が昭和前半に生まれていたら、こんなに苦しまなかったのかなぁ」と思うことがあります。

診断頻度が最近増えている「双極性障害」にしても同様です。現代人は、やたらテンションが高くなりやすい環境とテンションの低くなりそうな環境を、不規則に行ったり来たりしています。また、場面や「キャラ」ごとに、自分のテンションをきちんと使い分け、適切に自己コントロールすることも求められます。昔の農村暮らしのように、気分やテンションがハレの日／ケの日といった暦によってある程度コントロールされていた状況に比べれば、これは結構大変なことです。21世紀において軽めの「双極性障害」と診断されている人達も、昔の農村のような、太陽の巡りと共に生きる暮らしをしていたら、さほどの問題にはならなかったかもしれません※3。

※3　しかもテンションだけでなく、睡眠リズムや生活リズムも不規則になりやすい、という点でも現代人は大変です。うつ病をはじめ、精神疾患の大半にとって、睡眠リズムや生活リズムの不規則さはリスクファクターです。太陽と共に起き、太陽と共に休むようなリズムで生活できないライフスタイルの増加も、精神疾患の増加とは無関係ではないと思われます。

人間の遺伝子がこの数十年で急激に変化したとは考えられない以上、ここに来て「発達障害」「双極性障害」「パーソナリティ障害」といった診断が増えている理由は、環境やライフスタイルの変化によるところが大きいと推定されます。社会という名の環境が変化したことによって、昔だったら出来なくても構わなかったコミュニケーションや自己コントロールが全員に課せられるようになり、ついていけなくなって困り果てた人が〝診断〟に至っているのでしょう。

「発達障害」「双極性障害」といった精神疾患のトレンドは、21世紀という、コミュニケーション能力や自己コントロール能力を個人に要求してやまない時代を反映しているものだと言えます。この新しい社会からの要請に応えられない人間には、社会適応が難しい時代になりました。

2　全能感を維持するために「なにもしない」人達

しかし、生き難さの全てが社会環境のせいだと見做すわけにもいきません。「ああ、この人はいつの時代に生まれても社会適応が大変そうだなぁ」といった、パーソナリティや処世術に難のある人もいます。一例として、全能感を維持するために「なにもしない」人達を挙げてみます。

全能感を維持するために「なにもしない」人達とて、全く何もしないわけではありません。得意分野や挫折を体験する可能性の少ない分野では、むしろ積極的に活動します。ネットゲームをやり込んだり、映画や小説を愉しんだり、レジャーに出かけたりするぶんには、なんの問題もありません。

問題は、このタイプの人が「失敗や挫折のリスクのある挑戦」をしない、という事です。

人間は、さまざまな事に挑戦し、成功だけでなく失敗からも多くを学ぶものです。失敗から教訓を得るという意味だけでなく、「思ったほど自分はオールマイティではない」という事実に直面し、子どもめいた全能感が修正されて等身大の自分がどれぐらいのものかに気付くのも、児童期〜思春期における学びの大切な一部です。

しかし、ここでいう「なにもしない」人達の場合は、そういった挫折や失敗を経験するかもしれない挑戦をやたら避けるので、いつまでたっても全能感が失われません。「挑戦すれば挫折するかもしれない」「告白したら振られるかもしれない」――こういったトライアルを未然に全て回避していれば、自分の可能性は無限だ、本気でやれば何でもできる子だ、という自己イメージをいつまでも維持できるわけです。

もし、自分の全能感が失われそうな試験・競争に直面した時にも、全能感を維持するのは実は難しくありません。「俺は本気じゃない」「ネタですから」と言い訳しながらの挑戦なら、失敗した時も、全力を出してないから失敗した（＝全力で挑戦していれば成功していたに違いない）と自己弁解できますから、全能感は保たれます※4。

※4　ちなみに大学受験の場合、自分の学力で合格しやすい志望校にしておくことで挫折のリスクは最小化できますから、そこそこの大学に合格できているからといって、ここでいう「なにもしない」人達ではないという証拠にはなりません。

普通の人なら、「そんな逃げ腰では、受かる試験も受からないし競争に勝つ確率も下がってしまうじゃないか」と思うかもしれません。しかし、全能感を手放したくない人達は、トライアルを乗り越える確率を1％でも高めるより、自分自身の全能感がひび割れるリスクを1％でも低くするほうに夢中になりがちです。そしてこの処世術に慣れすぎてしまった人は、いざ本気で挑戦しようと思っても、もはや本気で挑戦できません。いったん〝逃げ癖〟〝言い訳癖〟が身についてしまうと、もう、そうせずにはいられなくなるのです。自己弁護には無限に近い逃げ道がありますから、ズルズルといつまでも、真剣なトライアルを回避し続けることになります。

結果として、「全能感を維持するために何もしない人達」は、〝本当は自分は何でもできる〟という子どもじみた全能感を抱えながら、スキルアップや成長の機会を逃し続けることになります。

このような処世術は、当座のストレスを回避するには優れていますが、万が一、挫折を避けられなくなった時にはボッキリと心が折れてしまいます。そうでなくても、「実は何もしない（できない）まま歳だけ取った自分」にいつか直面する日がやってきます。そのときには「何もせずに歳だけ取った等身大の自分」と「全能な自分自身のイメージ」のギャップに愕然とするしかありません。

今日の精神科臨床では、このタイプの人が、全能感を失ったショックや挫折をきっかけにメンタルヘルスをこじらせて受診……というパターンが珍しくありません。これはもう、社会環境の問題以前に、当人のパーソナリティや処世術自体がアキレス腱を抱えていると考えられます。その全能感と自己弁解的な処世術のために、こうした人達がいったんメンタルヘルスをこじらせてしまうと、再起は通常よりも一層困難であることは言うまでもありません。

3　すぐに結果が出ないと我慢ならない新入社員／企業

そんな困難な社会と、困難な個人の両方が合わさると一体何が起こるでしょうか?

それが典型的に現れているのが、大学新卒者の就職戦線だと思われます。

2010年の経済同友会アンケート結果のグラフを見て下さい。

図1−2　新卒採用者選考の際、特に重視している能力（大学卒）

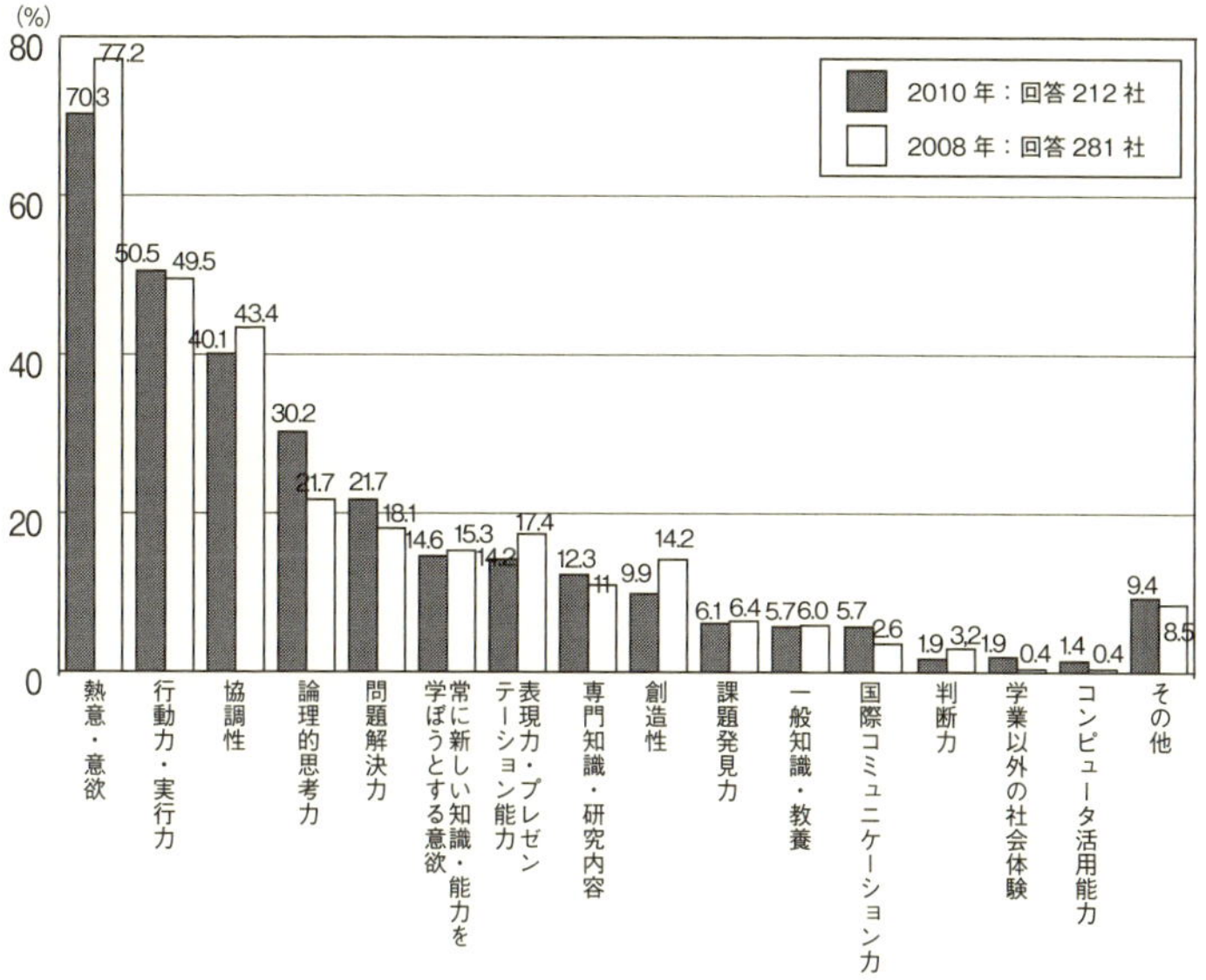

昨今の企業が大卒者に求めるもののベスト5は、「熱意」「実行力」「協調性」「論理的思考力」「問題解決力」といったものです。熱意は当然として、残りの4つからは、すぐにでも企業の歯車として回り始めて貰いたいという思惑が見てとれます。「大学で実学を教えて欲しい」という財界有名人の発言を思い出すにつけても、企業は即戦力な学生が欲しいのでしょう。

本来、大学というのは、学問を学んだり、学問以外も含めて学生の可能性を膨らませたりするための場であった筈です。人材育成の観点からみれば、大学生時代から社員然とした実学を詰め込むなんて、かえってその学生の伸びしろや可能性を狭めるような選択でしょう。新卒者を社員として一人前に育てる役割は、本来企業が引き受けるべきで、たぶん、長い目で見ればそのほうが社員の伸びしろも大きくなると思われます。ところが現在の企業はせっかちになっていて、新入社員を〝長い目〟で育てようという意識が希薄になっているようです。

こうした即戦力志向・即業績志向は、企業側だけのメンタリティではありません。学生の側も、すぐに戦力になれる自分・すぐに業績を認められる自分でなければ、我慢できなくなっているのではないでしょうか。本当は、いっぱしの社員としてすぐに認められたり活躍できたりするほうがおかしい筈なのに、それが出来ないからといって、「この会社は合ってないような気がする」「この会社では自分の才能が開花できない」と思いこんで辞めていく、そんなイマドキの新入社員達も、企業に負けず劣らず我慢の利かない人達だと言えます。

内閣府の統計「若者雇用を取り巻く現状と問題」（２０１０）によると、大卒・専門学校卒の77・6万人のうち、「学校から雇用へと円滑に接続できなかった若年者」は40・6万人（52％）にのぼるそうです。これだけでも眩暈がしそうな数字ですが、うち19・9万人が早期離職者（3年以内の離職）で占められているのも驚きです。正社員になるのも難しいご時世だと言われているのに！

このような早期離職が大量発生している理由はいろいろでしょうが、企業が新卒者に求めるものと、新卒者が企業に期待しているものの間に大きなギャップが存在するのは間違いありません。そして就職したての社員も企業も、それどころか株主までもが、成果という名の果実に対してせっかちになっているのです。

4　モンスタークレーマーが「メートル原器」になる社会

もうひとつ、個人と社会との相互作用がこんがらがっている例を挙げてみます。近年話題になっているモンスタークレーマーな人達と社会との関係です。

21世紀に入ってからは、自分の欲求を充たすためなら常軌を逸した要求やクレームをも辞さない人を指す、モンスター○○という表現を見かけるようになりました。患者ならモンスターペイシェント、保護者ならモンスターペアレント、といった具合です。自分のエゴだけを押し付けて相手の都合や心理を一切忖度しないこうした人々は、次第に社会的に認知されるようになり、２００８年にはドラマ『モンスターペアレント』（フジテレビ系列）が放送されました。皆さんも、街や職場などでこうした人を見かけて、心臓の縮むような思いをした事があるのではないでしょうか。

モンスターペアレント（Monster parent）とは、学校に対して自己中心的で理不尽な要求を繰り返し、正常な学校運営を妨げる保護者を意味する和製英語である。当然、正当な要求や苦情を訴える保護者は、ここに含まれない。（フジテレビ番組紹介より抜粋）

フジテレビがドラマ化したという一事が示しているように、この手のモンスタークレーマーは今ではそう珍しくありません。そしてこのような振る舞いは全体のなかの極少数ではあっても、社会構造に大きな影響を与えるようになっています。

というのも、こうした無茶な要求をする人が1万人に1人程度だとしても、その1万人に1人に出会った時に対応できないようなサービス業は、たった1人のモンスタークレーマーによってシステムダウンしてしまうからです。このため、現代のあらゆるサービス業は、平均的なお客のニーズに合わせてではなく、1万人に1人のモンスタークレーマーに合わせる格好で、サービス内容やリスク対応を考えなければならなくなっています。具体的には、「契約書の分厚さは厚く、システムは堅牢に、警備員は屈強にすべき」というわけです。

例えば携帯電話の契約時に、強迫的なまでに丁寧な、やたら時間のかかった説明を行うあれも、こうした極少数のモンスタークレーマーを念頭に置いたものなのでしょう。もちろん、その過程で発生する従業員を長時間拘束するためのコストは、そのまま私達の携帯電話料金となってサービス利用者全員に跳ね返って来ます。殆どの人には無駄にしか思えないコストでも、サービス提供者がモンスタークレーマーによってシステムダウンしないようにするには、必要な〝安全保障費〟なのでしょう。

モンスタークレーマーの見えないプレッシャー

ことは金銭コスト面だけには限りません。もし、自分が従業員として働いているときに、そんなモンスタークレーマーに遭遇してしまったら、ともかくも対応しなければならないのです。対応マニュアルがあるとはいえ、マニュアル通りに対応できるような相手なら、そもそもモンスターとは呼ばれないでしょう。実際には、モンスタークレーマーに余計な言質を与えず、感情を落ち着け、自分のメンタルを護れるような、そんな高度な技能が求められるのです。

このため、モンスタークレーマーは数こそ少ないかもしれませんが、サービス業の業態・サービス労働環境・個人メンタルヘルスといった領域に、広く薄くではあっても無視できない影響を与えています。遭遇頻度自体はそれほどでもないとしても、いつモンスタークレーマーに出会うか分からないと思うだけでも大きなプレッシャーですし、実際に出くわしてしまったら、コミュニケーションの技能と周囲の支援と幸運が無ければ、トラウマになってしまうかもしれません。しかも見た目だけでは、誰がモンスタークレーマーなのかは識別できないのです。

学校の先生方のプレッシャーなどは、いかばかりでしょうか。実際、文部科学省の統計によれば、21世紀に入って公立学校の教師が精神疾患によって離職する数が急増しています。もちろん原因の一端には、教師のストレス耐性の問題もあるでしょうけれど、グラフの上昇がちょうどモンスタークレーマーが耳目を集めた時期と一致することを思えば、保護者の要求の過大さに耐えきれなくなる教師が増えているという要因は無視できないと思います。

農業や工業よりサービス業が産業の主幹を占めている世の中だというのに、そのサービス業の前線に立とうと思ったら、モンスタークレーマーにも対処できるようなコミュニケーション能力やス

図1－3　公立学校教員の精神疾患による休職率（%）

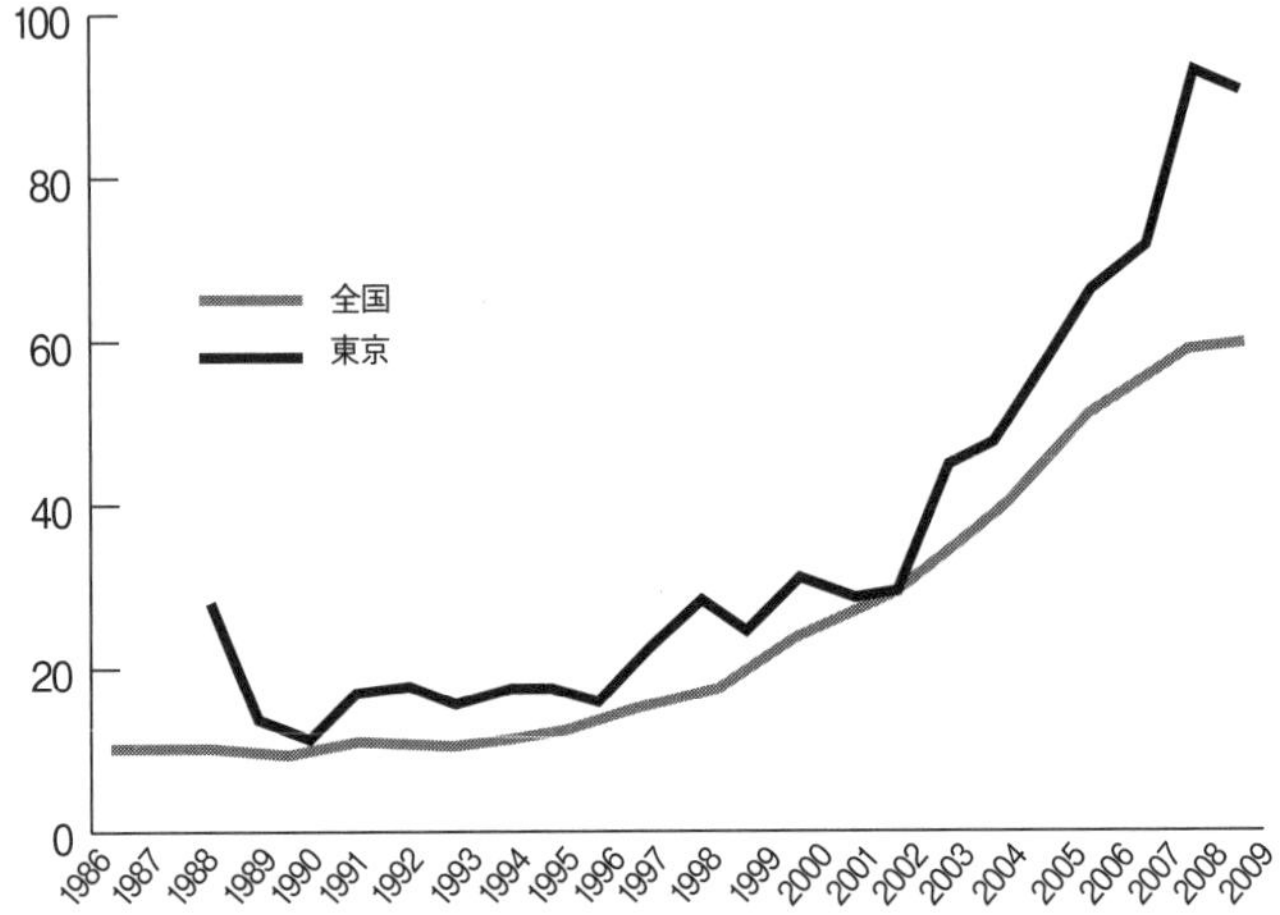

（出典）文部科学省「平成21年度教育職員に係る懲戒処分等の状況について」およびデータえっせい（http://tmaita77.bigspot.jp/）より

トレス耐性を求められてしまう――なんと過酷な社会情況なのでしょう。

見方を変えるなら、「モンスタークレーマーによって、現代のサービス業やサービス従事者の質は規定されている」とも言えるかもしれません。モンスタークレーマーにも耐えられる事業者と人間だけが生き残り、そうでないものが淘汰される社会になった結果、消費者としても、サービス提供者としても、私達は大きすぎるコストを支払い、高すぎるハードルを超えなければならなくなっています

図1－4　メシウマＡＡ

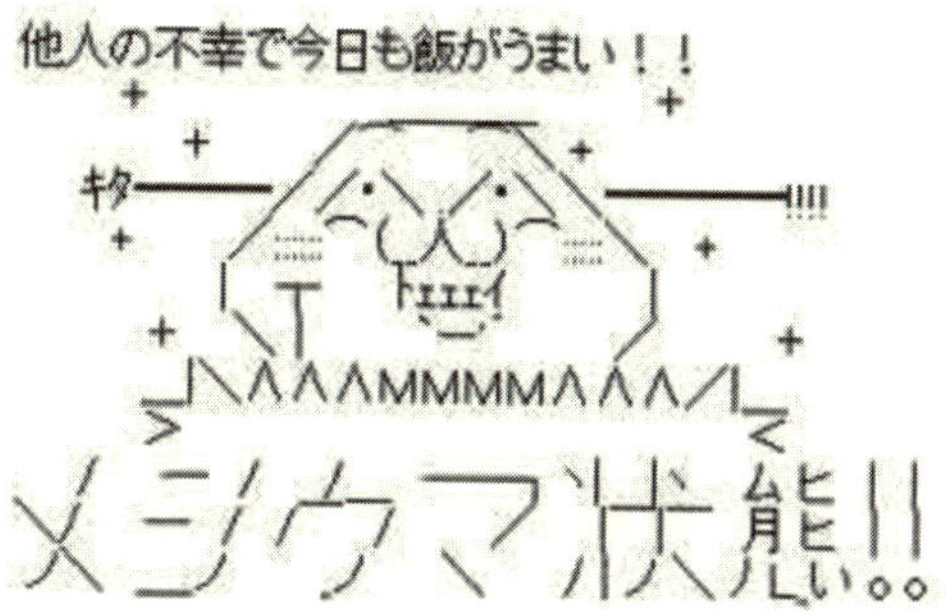
他人の不幸で今日も飯がうまい！！
キタ━━━━!!!!
メシウマ状態!!

5　メシウマ、炎上、正義感――インターネットに降り積もる怨念

そんな難しい社会に適応できなかったと感じている人達は何を思い、どのように生きているのか？　仕事や生活上のストレスは、一昔前のサラリーマンだったら居酒屋やスナックで、主婦だったら井戸端会議で発散していたのかもしれませんが、現代の、特に30代より若い世代の多くは、居酒屋や井戸端会議といった習慣を持っていません。その代わり、定額料金でいつでもどこでも利用できるインターネットが、新たな不満の捌け口として利用されているのをみてとれます。

図1－4は、匿名掲示板「2ちゃんねる」で2000年代後半に流行した「メシウマ」のＡＡ（アスキーアート）です。有名人やセレブ、キャンパスライフを謳歌している大学生などといった〝生活《リアル》が充実しているとおぼしき人〟※5が逮捕や退学の憂き目をみるようなニュースが流れると、「2ちゃんねる」にはこのＡＡが貼られ、他人の不幸を喜んで憂さを晴らしたい人が集まって

きて同種のコメントがたくさん集まります。〝自分は生活が充実していない〟と思っている人達にとって、〝自分よりも生活が充実していそうな人〟が引き摺り下ろされるさまを眺めながら、ルサンチマンを共有する者同士で一体感を体験するのは、ちょっとしたカタルシスなのでしょう。

こういったメシウマ的な現象は「ツイッター」「ニコニコ動画」「発言小町」といった他のネットサービスでも広く観察されますから、「2ちゃんねる」固有のものではなく、現在の日本のインターネット全体にみられるものと考えられます※6。

※5　インターネットスラングでは、このような生活が充実しているとみられる人のことを、2000年代の後半から「リア充」と呼ぶようになりました。

※6　ただし、このような現象が頻繁に起こり始めた場所は、「2ちゃんねる」です。「2ちゃんねる」が誕生して間もない頃は、〝祭り〟と呼ばれる現象が〝メシウマ〟に近い役割を担っていました。

すっかり定着した〝ネット炎上〟も、これに近い性質があります。著名人がインターネット上に失言を書き込むと、川に落ちた犬に石を投げたくて仕方の無い人達が日本中からアクセスしてきて、何百何千もの誹謗中傷や罵倒が書き込まれます。現在のインターネットには、正義という大義名分のもと、弱り目・祟り目の人を徹底的に陥れてやりたい欲求が渦巻いており、無名の人でさえ、明確な違法行為の書き込みや動画投稿をしようものなら、簡単に〝炎上〟してしまいます。そしてもし可能なら実名・住所・勤務先などを片っ端から暴くことで、被炎上者の社会生活が破壊されるのを眺めながら、〝人の不幸で今日も飯が美味い！　メシウマ！〟と皆で叫ぶのです。

メシウマの特徴

「人の不幸は蜜の味」という諺が示すように、この手のネガティブな憂さ晴らしは昔からありました。ただ、インターネット上での〝メシウマ〟や〝炎上〟には、従来の居酒屋談義や井戸端会議とはちょっと違った、インターネットならではの特徴があります。

①日本中から不特定多数が集まって来る

インターネットの性質上、不特定多数が日本中から集まって来ます。このため対象となった人は、数百数千の不特定多数に精神的リンチを蒙るような、圧倒的なプレッシャーに曝されます。数が多すぎるので、個別に反論や反撃をしようと思っても殆ど不可能です。

②目に見える形でいつまでも履歴が残る

従来の会話のなかでの非難や愚痴は、履歴も記録も残りませんから、居酒屋のマスターが黙ってさえいればその場限りのものでした。ところがインターネット上の〝メシウマ〟〝炎上〟の類は、失言も罵倒もすべてがアーカイブとなって履歴が残ってしまいます。いったん〝炎上〟が起こってしまうと、まとめサイトやｗｅｂ魚拓（ウェブサイトをキャッシュとして保存するサービス）ですぐさま履歴を取られてしまうので、慌てて削除しても間に合いません。

③書き込まれた「場」の怨恨が独り歩きしはじめる

上記のように、ネガティブな書き込みの履歴が残ってしまうインターネットの性質のために、

〝メシウマ〟や〝炎上〟の現場となったサイトは、〝ここはネガティブな事を書いても構わない場〟〝ここは公開処刑場〟と人目に映るようになります。こうなると、その場で憂さ晴らしをして満足した人が立ち去っても、また次の人がやってきて憂さを晴らす……といった連鎖反応がいつまでも起こることになり、そのような場が、恨みや嫉妬の坩堝と化していくことがあります。

④〝正義感〟を伴っている

非難されるに値する証拠・履歴がネット上に残っているために、非難や罵倒は「正義感」を伴ったものになりがちです。つまり、「こいつは非難されるに値する奴なんだから、罵倒しようがプライバシーを暴こうが、それは天誅のようなもので、俺たちの行動は正しい」という感覚です。本当は私刑に限りなく近い行為であっても、自分は正しいという思い込み――つまり〝正義感〟――がありますから、いきおい、非難も罵倒もエスカレートしやすく、しかも当人は世直しを気取れるという心理的なメリットもあります。

⑤ターゲットが無尽蔵に供給され、終わりが無い

過去の地域社会で暮らしていた人達が生活圏内で出会う人間は、せいぜい数百人程度でした。もし、そのなかに嫉妬や恨みの感情を持つような相手がいたとしても、嫉妬や恨みの感情を表明して構わない文脈が存在する時※7にしか、そうしたネガティブな感情を表明できませんでした。ところがインターネットの場合、何百万人・何千万人のなかから、嫉妬なり恨みなりを抱けるような相手を探せてしまうので、ターゲットが無尽蔵に供給されてしまいますし、いつでもどこでもネガティブな感情を表明できてしまいます。

※7　例えば、うるさい姑で困っている主婦だけが集まっている井戸端会議、など。

以上のような特徴を持っているがために、インターネット上の〝メシウマ〟〝炎上〟の類はエスカレートしやすく、しばしば個人の意志やコントロールを越えた事態に発展しがちです。日頃鬱憤の溜まっている人達にとって、〝メシウマ〟や〝炎上〟は一種のストレス解消手段・ガス抜きになっているのでしょう。

しかし積もりに積もった悪意は大きな力となって簡単に個人を押しつぶしてしまいますし、ガス抜きと称して日常的に罵倒を繰り返している人は、いつか自分自身が悪意に呑まれてしまうでしょう。ネットのそこここにそういった悪意の吹きだまりができあがり、アーカイブ化されていく風景は、今世紀独特のものだと思います。

6　いつまでも「松田聖子」「チョイ悪」でいたい人たち

では、〝生活《リアル》が充実している〟人達なら、悪意に溺れることなく、満足に幸せに暮らしていけるのでしょうか？

若き社会学者・古市憲寿さんの『絶望の国の幸福な若者たち』（講談社）を参照するなら、バブルの残り香を嗅ぐことなく育ってきた20代の人達に関しては、そうかもしれません。彼らは80年代的・バブル的な物質的充足を幸福の条件としていませんし、なにより、彼らはまだ若いのです。若いということは、まだ変化する可能性があるということです。現代の20代のライフスタイルがどこまで幸福に寄与するものなのかは、彼らが歳を取ってから具体的に見えてくることでしょう。

しかし、私達団塊ジュニア世代～ロスジェネ世代の場合、もう三十路や四十路にさしかかっているわけで、〝リアルが充実〟している人でも肌の容色が衰え、徹夜が身体に堪えるようになり、可能性に夢を見ることが段々難しくなってきます。そして現代社会に浸透している価値観においては、「若いということは素晴らしいこと」で「老いるということはおぞましいこと」なのですから、若さを維持できないという一事が、不幸感に直結するかのように感じられる人がゾロゾロ出てきてしまいます。

「いつまでも若者のままでいたい」――そういった願望に応えるべく、近年は、中年男女が若作りするためのアイテムが一大市場を形成しています。アンチエイジング系の食品やサプリメントはもちろん、「チョイ悪オヤジ」というスタイルを推奨するファッション雑誌がジャンルとして定着し、果ては「40代女子」というライフスタイルを提案する雑誌などが登場しています。端から見れば無理な若作りにしかみえないライフスタイルでも、若さを失ったという現実から目を逸らすには十分有効なのでしょう。

しかし一般に、若作りが強引であればあるほど歪みが生じずにいられません。肉体の維持にお金と時間がかかってしまうのもひとつの問題ですが、それより深刻なのは、40代になっても20代のようなライフスタイルのまま振る舞おうとした結果、身体や神経に無理がかかってしまう事です。

人間は、歳を取ればそれだけ身体が衰えますし、新しいことを一から学習するにも時間と労力がかかるようになります。にも関わらず、自分自身が歳を取った現実を度外視し、身体や脳味噌を動かし続けようとすれば、じき疲労が蓄積し過ぎてパンクしてしまいます。40代の身体に20代の負荷をかけ続けたらどうなるか……無理がたたって狭心症や脳梗塞になってしまったら大変です。精神科の外来でも、〝若作りうつ病〟とでも言いたくなるような、若いライフスタイルに固執し過ぎて神経をパンクさせてしまった人を見かけることがあります。

若さに固執し、こうして金銭的コストや身体的リスクを冒す中年世代を笑う人もいるかもしれません。しかし、世間を見渡してみれば、例えば団塊世代なども「若いことはいいことだ」「生涯現役」と言わんばかりの勢いです。年金受給の時期がずれてきたことも相まってでしょうけれど、還暦を過ぎたら隠居しようという考え方は今ではあまり見られず、代わりに、生涯現役というフレーズと、そのための健康食品のCMがお茶の間のテレビ画面を席巻するようになりました。

ですから考えようによっては、現代人は社会的・心理的には、老いも若きも「歳を取らなくなった」と言えます。

ロールモデルの不在

30年ほど昔、当時の精神科医は思春期の延長が現代社会の特徴だと指摘していました※8。しかし21世紀の風景を眺めるに、延長しているのはどうやら思春期だけでは無いようです。誰もが平成初期のライフスタイルを引きずりやすく、「歳を取ることをズルズル回避」する傾向になってしまっているように見えます。「社会全体が松田聖子のようになってしまった」とでもいいましょうか。

※8　小此木啓吾『モラトリアム人間』（中央公論新社、1981）など

さりとて、いざ歳を取ったライフスタイルに移行しようと思っても、成人式や還暦などは通過儀礼としての意味をほとんど失って形骸化していますし、世代間コミュニケーションの少ない昨今、〝格好良い年長者〟のロールモデル的な人物に出遭うチャンスもあまりありません。もちろん、インターネットもマスメディアも、〝若さ志向〟のほうが優勢ですから、この、若さに拘ることが至上命題のような価値観と消費構造のなかで、私達は、人生のギアチェンジも為し得ないまま歳を取っていくしかないのかもしれません。

「歳の取り方」のロールモデルを見失い、標識になりそうなライフイベントも希薄になった21世紀。それでも時間は容赦なく流れていきますし、私達は日々老いていきます。20世紀に比べて、若作りやアンチエイジングのテクニックは随分進歩したようには思えますが、「歳の取り方が分からなくなった社会」というのは、それはそれで時代固有の難しさだ、と思います。

7 スタンドアロンな人たちが死屍累々の様相に

かくして、大勢の人が他人の痛みも他の世代の都合も考えず、一生懸命に自分の快楽やストレス解消や若さを求めてやまない21世紀がやって来ました。見ようによっては、個人の自由と自己選択を尊重するような社会が生まれたからこそ、自分の快楽や若さに夢中になれるようになった、ともいえるかもしれません。

20世紀の後半、当時の人々は、何者にも束縛されない自由なライフスタイルや、思春期モラトリアムが永遠に続くかのようなライフスタイルを、良いものとみなしてきました。〝フリーター〟〝とらばーゆ〟といった言葉も、マーケティング用語としてのあざとさは多少あるにしても、人生の自由選択を良いものとする精神と呼応するところがあった※9かと思いますし、心理学的には、アメリカの心理学者ロバート・リフトンが言うところのプロテウス的人間※10が、理想的な人間の在り方として語られてもいました。恋愛、結婚、交友関係、住まいといった生活上のあらゆる面で、とにかく自分が選びたいように、自分本位が一番良いという価値観で突き進んできたわけです。

※9 近年言われるようになった〝ノマド〟という新語なども、同じ系譜のものと考えられます。

※10 プロテウスとは、ギリシア神話に出てくる〝自分の姿を自由自在に変えられるけれども、真の姿をあらわすことができない〟神。リフトンは、新しい価値観・役割・運動に次々に熱中しながら決してアイデンティティを固定化

することのない人間を、この神になぞらえて「プロテウス的人間」と呼びました。それまで、いつまでもアイデンティティを固定化しない移り気な人間は、どちらかといえば否定的に評価されるのが常でしたが、リフトンは、こうしたプロテウス的人間こそが現代社会に最適な人間として、肯定的に紹介しました。

しかし、その結果としてたどり着いた現代社会は、どうもそのあたりが行き過ぎて、個人主義の辛い部分や醜い部分が目立ちやすくなってきているように私には思えます。

仕事も配偶も自由に選べるようになったということは、自由競争に打ち勝ったうえで選ばなければならなくなった、ということでもあります。自由競争に勝てるような人にとっては天国でも、自由競争についていけない人は、メンタルヘルスを磨り減らしたり、勝者達へのルサンチマンを〝メシウマ〟や〝炎上〟で発散したりするしかないような時代になりました。一握りの〝持（モ）てる〟者だけが仕事もパートナーも選び放題、そうでない者はワーキングプアな独身生活を続けるしかない、そういう社会だったわけです。

また、自分自身の自由と欲望を優先した結果の一面として、大家族は核家族化し、その核家族すらしがらみと感じる人々は、当然のように単身住まいを選ぶようになりました。上司と部下、先輩と後輩、嫁と姑といった付き合いのしがらみも少なくなりましたが、その割にはうつ病などの精神疾患が減るでもなく、異なる世代・立場の者同士の断絶は進み、互いに非難しあったり貶しめあったりすることこそあれ、相手の価値観や隠れた技能を垣間見るチャンスも失われました。

結局、どこまで自由を謳歌しているのか、自由と裏腹な孤独に疲れているのかわからないような人達がごまんと存在しているのが、私達の世代の現状ではないでしょうか。だからこそ、インターネット上で群れる疑似体験がストレス解消になり、老いて思春期的なライフスタイルを失ってしまうことを恐れ、加齢を否認するために躍起になるのではないでしょうか。

しがらみと責任を回避し、自由と可能性を追い求め続けたスタンドアロンな人々が、このような死屍累々の様相を呈している現状を見ていると、私は、高度成長期以来のライフプラニングはもはや時代遅れ、と思わずにいられません。いや、もちろん思春期において自由を志向するのは素晴らしいことですし、若い世代の人が若さを武器にトライアンドエラーを行うのが悪いと言いたいわけではありません。ただ、〝終わりなき思春期モラトリアム〟的なメンタリティを抱え続けたまま歳を取った挙句、孤独を誤魔化すためのあれやこれやに奔走し続けるような生き方は、私達の世代でもう終わりにすべきではないか、と思うのです。

第2章　われわれはなぜ、どこで躓いたのか——団塊ジュニア〜ロスジェネ分析

第1章では、現代社会の生き難さを象徴する風景をかいつまんで紹介してみました。しかしこうした社会現象に、すべての世代が平等に、まったく同じようなスタンスで遭遇しているかというと、そうではありません。濃厚に影響を受けている世代もあれば、相対的に少ない影響しか蒙っていない世代もあり、それぞれの世代がそれぞれの事情を抱えているのが実際でしょう。

そこで第2章では、団塊ジュニア世代〜ロスジェネ世代に的を絞って、この世代が特に大きく抱えている問題や、その問題が起こってきた由来について掘り下げてみようと思います。

1　就職氷河期世代の2つの苦悩——経済面と心理面

1970〜80年代前半生まれが抱えている経済上の問題については、既に多くの人が語っているところなので、ここでは手短な説明に留めたいと思います。

有効求人倍率が1を下回った1993年以降に就職した世代——まさに私達の世代のことですが

図2－1　正規労働者と非正規労働者の推移（年齢別）

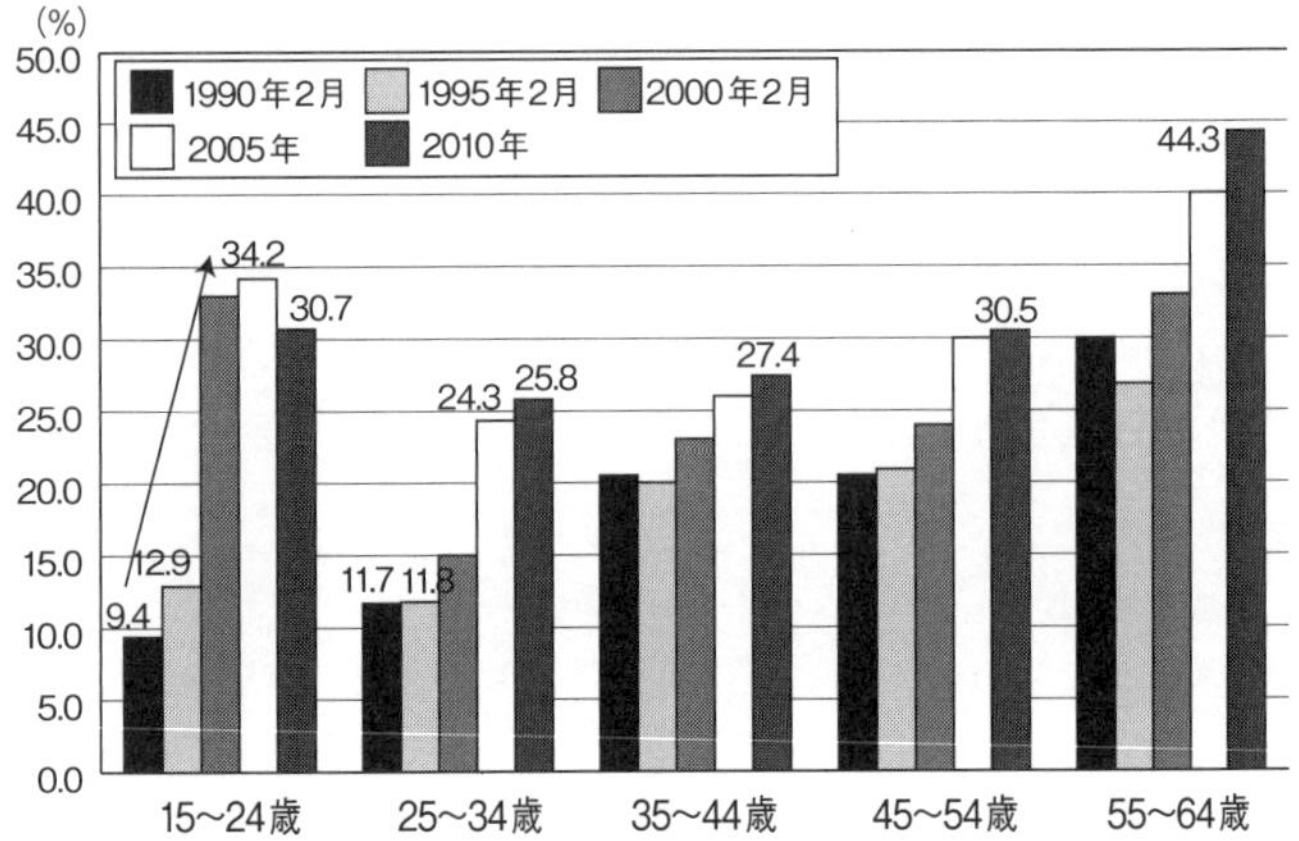

○非正規労働者の割合は、すべての年齢層において上昇傾向。
○特に15～24歳層において、1990年代半ばから2000年代初めにかけて大きく上昇（なお、2000年代半ば以降においては、若干の低下。）

（出典）総務省「労働力調査（特別調査）」（2月調査）及び総務省「労働力調査（詳細結果）」（年平均）
（注）非農林雇用者（役員を除く）に占める非正規労働者の割合。なお、15～24歳層では在学中の者を除いた。
非正規労働者：会社での呼称が「パート・アルバイト」「労働者派遣事業所の派遣社員」「契約社員・嘱託」「その他」である者。

――は、学生時代に想像していたものとは全く状況の異なる就職戦線に放り込まれました。世に言う〝就職氷河期〟です。２０００年前後に就職の時期を迎えた人達においては特にそうでした。
しかも、この不況はただの不況ではなく、日本の産業構造や雇用システムの大きな改変に関連するものでした。２０００年あたりを底として日本経済はいったん不況を脱し、企業業績は改善に向かいましたが、この業績改善は、〝正社員の採用をできるだけ減らして、派遣社員や契約社員といった非正規雇用を増やす〟ことで成立したものでした。

これ以後、かつて日本企業を特徴づけていた〝終身雇用制〟は、バブル崩壊以前に就職した人々と、バブル崩壊以後にどうにか正社員として就職できた一部の人々だけに適用されるルールになりました。残った人々は、収入と雇用の将来性がはっきりしない、非正規雇用という流動的な立場で働くことになりました。団塊ジュニア〜ロスジェネ世代は、この変化をモロに蒙ったといえます。

さて、経済面の話はこれぐらいにおいて、心理面の話に移りましょう。

団塊ジュニア世代〜ロスジェネ世代は、心理面でもかなり困難な、前後の世代とは気色の違った立場に立たされています。というのも、この世代はバブル以前の価値観の影響を色濃く蒙っていながら、なおかつバブル以後の生活や境遇を余儀なくされているからです。

価値観という面で言えば、私達の世代は20世紀的・旧世代的な立場に属します。すなわち、受験戦争を頑張って乗り切り、良い会社に入って、結婚して、一戸建て世帯を持つことを良いこととする価値観を信じて育った世代に属します。また子ども時代に、80年代的な〝オシャレな消費＝格好良い〟という時代の気分を吸い込みながら育った世代でもあり、バブル景気の華やかなりし頃を実際に憶えてもいます。

端境期の世代を呪縛する〝記憶〟

このため、もっと後の世代に比べると、私達の世代はこうした価値観をブレインストールされている度合いが高い、と言えます。「いい大学に入っていい会社に就職すべき」「自由な恋愛をやって結婚すべき」「結婚したら一戸建て世帯を持つべき」といった〝かくあるべき〟を内面化している度合いが高いとも言い換えられるわけで、実際、親世代や周囲の人から「かくあるべき」という〝アドバイス〟を受ける機会も多かったことでしょう。また、生活の次元でも、〝オシャレな消費＝格好良い〟ということを身をもって示していた諸先輩がたを見ながら育ったため、〝オシャレに消費できない＝格好悪い〟という価値観を形成しつつ育ちました。

こうした価値観の内面化は、80年代後半生まれ以降の世代においてはさほど強くはありません。もっと若い世代が育った頃には、私達にとっての〝かくあるべき〟は、大分過去のものになっていました。なぜなら、年長世代たる私達が、「いい大学に入ってもいい会社に就職できるとは限らない」「恋愛結婚が出来る人と出来ない人がいる」「結婚して一戸建てを持つのは当然ではなく、難しいこと」ということを、身をもって示しているからです。そして80年代後半生まれ以降の世代は、バブル景気そのものはもちろんのこと、バブルの残り香すら記憶に残っていませんから、〝オシャレな消費＝格好良い〟的な価値観もさほど内面化せずに済んでいます。

もちろん、こうした価値観の変化は個々の家庭や地域によって幾分のバラツキがあるでしょうし、極端なことを言えば、21世紀になっても20世紀的・バブル的な〝かくあるべき〟を強く刷り込まれる子どももいるにはいるでしょう。しかし、時代の気分や平均的傾向という面では、バブル景気の名残を強く引きずっている私達の世代と、〝生まれながらの不況世代〟とも言うべき世代との間には、少なからぬ違いが横たわっています。

高度成長期を生きた親達に育てられ、バブル景気の華やかな気分と、そうした諸先輩の背中を見て育った私達は、年長世代の価値観を内面化しながらも、しかしその価値観を実現できないという葛藤を抱えながら生きることになったわけです。この矛盾に由来する心理的葛藤は、恵まれた上の世代にも、恵まれないことを前提に育った下の世代にも共有されておらず、それゆえ理解も共感もされずにスルーされやすいように見受けられます。

2 「梯子を外された」就職氷河期世代

そんな私達の世代のなかでも特に悲惨なのは、親達の価値観を忠実に内面化し、その価値観の通りに生きようとした挙げ句、時代の変化に取り残された人達です。

人口ピラミッドの関係上、私達の世代は最も熾烈な受験戦争を潜り抜けなければ大学に入れませんでした。そんな情勢下、親は子のためと思って高い月謝を払って子どもを塾や予備校に通わせ、子は親の期待通りにやれば幸せになれるとぼんやり信じて、一度きりの思春期を受験勉強の背伸びに費やす――そういう親子が珍しくありませんでした。当時はまだ、〝高学歴さえあれば高収入が得られる〟〝末は博士か大臣か〟といった受験神話が、現在ほど疑問視されていませんでした。

ところが、大学を卒業してみる頃になると、そうした処世術が的外れだったことが明らかになってきます。

バブルの頃は、そこそこの大学を卒業していれば引く手数多で、チヤホヤされる就職活動が待っている、と語られていました。ところが93年以降は、それなりの大学を卒業していても就職先がなかなか見つからない、という事態が多発しました。「バブルの基準だったら、この大学ならこれぐらいの就職先」という先入観のもとで就職活動していても仕事が見つからず、大学院や博士課程に待避してみたところで、待っているのは大卒者よりも就職率が低いというより厳しい現実でした。

そして企業側から期待される能力も、それまでとは違っていたのです。受験勉強の延長線上として、〝講義の最前列でノートを取る〟ような勉強中心の大学生活を送っていれば、座学はしっかり身に付くのかもしれませんが、企業はそんなものを新卒者に期待してはいません。企業が期待していたのは〝コミュニケーション能力〟や〝協調性〟といったもので、要は、社会に出てすぐに使い物になりそうな能力や経験を重視していたのです。

しかし、〝コミュニケーション能力〟も〝協調性〟も、座学で身に付くものではありません。親の言いなりに勉強ばかりしていて、経験しておくべき友人関係やレクリエーションを軽視した学童期～思春期を過ごしていた人達は、こうしたものを磨いていく絶好の時機を逃してしまっており、学生生活をエンジョイしながら大学まで進んできた人達に比べ、周回遅れのノウハウしか身に付けていませんでした。そういう人達は、就職活動で苦労したり、就職できたとしても仕事上のコミュニケーションや人間関係で大いに苦労したりしました。また、親の言う通りに行動することしか知らないまま育った人は、〝指示待ち人間〟〝自発性を欠いた人間〟〝応用の利かない人間〟という誹りを受けることにもなりました。

受験神話を信じた人達の隘路

もともと、〝高学歴さえあれば高収入が得られる〟〝末は博士か大臣か〟といった受験神話自体がある種の思い込みで、幼い頃から座学にリソースを過剰に集中させれば、そのぶん社会適応の歪《いびつ》な人間に仕上がるのは、考えてみれば当然です。しかし、その当然を見過ごしたまま、受験神話を内面化しながら、バブル当時の華やかな就活状況を夢見て突き進んだ親子が少なからずいたのです。

もっと若い世代の親子であれば、〝高学歴でさえあれば良いというわけではない〟〝企業はコミュニケーション能力や協調性を求めている〟ということはある程度周知されているのかもしれませんが、私達の世代においては、この限りではありませんでした。バブル時代の就活状況が記憶にあったものですから、〝とにかく良い大学にさえ滑り込んでしまえば人生安泰〟という安易な発想に親子ともども傾きやすかったというのもあるでしょう。

徹底的な不景気も相まって、こうした〝親の言う通りに勉強ばかりしてきた人達〟に残されたのは、大学の卒業証書と、その学歴に見合わぬ（と本人達には思える）就職先でした。〝博士難民〟という言葉に象徴されるように、学歴に見合った仕事が見つからずアルバイトなどをやらざるを得ないような人もたくさん生まれました。

もちろんこうした受験神話に忠実な人達ほど、〝自分には高学歴に相応しい収入なりステータスなりがあって然るべき〟という思い込みを内面化していますから、学力に相応しくない（と本人達には思える）就職先では働くモチベーションが得られません。「こんな職場は僕には相応しくない」という思いを抱えていては、職場のストレスは過大に感じられますし、第一、そんな鼻持ちならない意識を持っていては、職場の人間関係のなかで浮いてしまうのがオチでしょう。

しかし、バブル崩壊後に就職した私達の世代には、こうした、〝頑張って手に入れた学歴に相応しくない〟という思いを抱えながら（そして押し殺そうとしながらもどこかで押し殺しきれずに）生きている人がたくさんいるのです。

3　「使えない個性は、要らない個性」

個性にまつわる価値観に関しても、私達は梯子を外された世代と言えるかもしれません。90年代～21世紀初頭にかけて、「個性的であることはいいことだ」と、やたら個性が礼賛された時期がありました。当時流行ったフレーズや流行歌を思い出してみましょう。

「ゆとり教育」「ナンバーワンよりオンリーワン」「自分らしさ」「世界にひとつだけの花」……。「個性的であること＝かけがえのないこと」という夢いっぱいの観念を、老若男女を問わず、誰もが礼賛するような空気が蔓延していた時期を、覚えている人も多いかと思います。

その結果、何が起こったでしょうか？

個性を追求し、〝自分らしさ〟へと突き進んだ青少年の多くは、その個性を賞賛されることもないまま、自分は個性的だという不良債権と化した自意識を胸に、平凡な日常をのたうち回っています。個性が生かせない仕事はしたくない、働いたら負けだと思っている、個性を大事にしない社会が悪い、自分の才能を見抜けない上司が悪い……。そういう怨嗟をオーラのようにまといながら、心のどこかで〝本当の自分〟が開花する日を待ち望んでいる男女が、今、どれだけ存在するでしょう※1。

※1　もっとも、そのような「私は個性的だ」と思っている人達の個性の大半が、80年代以来続く、消費による差異化でしか他人と区別できるポイントの無い没個性だったりします。また、時代の空気に流されて個性礼賛に取り憑かれること自体、甚だ没個性的・ミーハー的であるのは言うまでもありません。

現実をみるに、彼／彼女らの思うところの個性が、スポットライトを浴びる日が来るとは思えません。世の中の仕事の大半は、没個性的なものであったり、巨大なプロジェクトの歯車の一つだったりしますから、〝自分らしさ〟を開花させるとは無縁のものばかりです。

もちろん、個性的であることが必要不可欠な職業が、世の中に無いわけではありません。起業家・アーティスト・研究者などには、それ相応に個性が求められるでしょう。けれども、それらの職種に就けるのは、競争という名の椅子取りゲームを勝ち上がってきた、界隈のナンバーワンに相当する人達だけです。どれほど科学者向きの個性でも、どれほどアーティスト的な個性を持っていたとしても、ダイヤモンドの原石のような才能を研磨し輝くところまで到達しなければ、個性的であることを許されないのです※2。まして、既存のどのような職種にも該当しないような個性を持っていたところで、そのような個性を発揮する場が社会にない限り、〝要らない個性〟ということになるし、その個性を買ってくれる人などどこにもいません。

※2　もし、ダイヤモンドの原石のような才能を研磨している最中に割れてしまったら、その人はもう省みられることなく捨てられてしまいます。

これは、ビジネスの世界だけに留まりません。プライベートな人間関係のなかでさえも、コミュニケーションに適さない・乗れない個性は、〝選ばれない個性〟として敬遠されます。人間関係が自由選択な現代社会においては、〝買い手のつかないような個性〟〝おいしくない個性〟に手を伸ばしたがる人間なんてどこにもいません。例えばあなたが友達にしたい・結婚したい人と思うのは、出来るだけ個性的な人間でしょうか？　そうではなく、自分にとって望ましい・好ましい性分を持った人間のほうではないでしょうか。

どれほど個性的な人間だとしても、その個性が自分のニーズに合致しない限りは〝どうでもいい個性〟ですし、自分のニーズを阻むようなら〝邪魔な個性〟ということになるでしょう。一見、ひたすら個性的な人間を選んでいるようにみえる人でさえも、よくよく観察してみると、ちゃんと選好の形跡がみてとれるものです。

結局、ビジネスの世界でも、プライベートの世界でも、個性が無条件に礼賛されているわけではなく、現実に礼賛され選ばれているのは、〝使える個性〟〝欲しい個性〟であって、〝使えない個性〟〝欲しくない個性〟ではありません。

そういう意味では、2003年に大ヒットしたSMAPの「世界にひとつだけの花」の歌詞は、個性を礼賛し続けたい人達の気分を上手く掬い取っていた、と言えます。

この歌では〝ナンバーワンにならなくても特別なオンリーワン〟が手放しで礼賛されていました。しかし現実にやってきた社会は「ナンバーワンまで上りつめたエリート個性だけが、特別なオンリーワンとして認められる社会」だったわけで、特別なオンリーワンになるためには、何十人何百人ものライバルを蹴落とし、その座を手に入れなければなりません※3。

そして〝花屋の店先に並んだ普通の花〟になるためには、過度に個性的でありすぎてはいけない――むしろ、ある程度没個性で、大きすぎず、小さすぎず、色も形もテンプレートをはみ出しすぎない花でなければなりません。分かりやすく、愛しやすく、選ばれやすい花だけが、良い花として選別され買われていくのであって、売り物にならないような個性を持った花は店先に並ぶことさえ許されないのです。

※3　そういう意味では、ジャニーズを目指しながらも挫折した人にとって、「世界にひとつだけの花」はつくづく残酷で皮肉な歌だと言えます。ライバル達を蹴落としジャニーズのナンバーワンに君臨したSMAPが、ナンバーワンにならなくてもいいんだよ、と歌っているのですから。

数多のライバルを蹴落としてナンバーワンを目指すのか。それとも個性をむしろ殺して〝店先に並ぶ普通の花〟を目指すのか。個性を手放しで礼賛した時代のなか、そのどちらにも属さないような個性を身につけてしまった人達は、本当は礼賛されるべき自分の個性が全く評価されないという葛藤を抱えながら、これからも生きていかなければなりません。

4　そして僕らはおっさん／おばさんになった

「報われて然るべき」と思っていた努力が報われず、「認められて然るべき」と思っていた個性も認められない現実を前にしても、私達の世代はそれなり社会に適応しようと努めてきたと思います。また、実際に仕事で活躍している人や、子育てをスタートしている人も大勢います。とはいえ、少なからぬ割合の人が、思い描いていた人生の軌道から大きく逸れてしまったり、〝フリーター〟〝どらばーゆ〟的なライフスタイルを選んだはいいけれども後先が次第に困難になったりしながら、その日その日の生活をしのぎ、メンタルヘルスの維持に精一杯になっているのもまた事実です。

若いうちは、職が定まらないこと、〝フリーター〟的であることは、実は、必ずしも苦しいことではありません。職が定まらない・定めないことは、思春期のモラトリアムな気持ちを維持できるという心理的なメリットがあります。つまり「人生の決め撃ちをしていない自分には、まだまだ可能性がある」という全能感を捨てないで済む、というわけです。その極北に位置するのは、第1章で紹介した「全能感を維持するために『なにもしない』人達」ですが、そこまでいかなくても、何も選ばないということは（仮にその内実が何も選べないであったとしても）、思春期の人達にとって、意外と居心地の良いものですし、責任感に囚われなくても済むという別種のメリットもあります。

とはいうものの、こうした心理的メリットを生活上のデメリットにいつまでも優先させられるわけではありません。

20代の頃は身体的にも若く、さまざまなトライアンドエラーを行いながら自分の可能性を模索する時期ですから、多少プラプラしているのも悪くない……というより多少プラプラしてナンボなのが思春期モラトリアムでしょう。また、この年代はコンテンツや物品を消費することでストレスを紛らわせ満足しやすい時期でもありますから、適当に働きながら（いっそ、親のすねをかじりながら）夢中になって何かを消費していれば、さしあたり心理的な行き詰まり感に悩まされずに生きていけます。

ところが三十路を越えてくると、身体的な衰えも感じるようになり、これからどのように生きていくのか、ある程度の見通しが欲しくなってくるようになります。あんなにモラトリアムな生き方を体現していたかのような、新人類世代・バブル世代のスター達も、気がつけばお堅い仕事に就いていたりその道の権威になっていたりしていて、「歳を取ったってモラトリアムが続けられるんですよ」と励ましてくれるわけではありません。両親もリタイヤし、自分の能力と責任においてこれから生きていかなければならないという自覚を否応なく突きつけられる時期でもあります。

内面化した価値観からは逃れられない

周囲の環境や目線も次第に変わってきます。今まで一緒に遊んでいた高校や大学のクラスメートなども順番に結婚しはじめ、付き合いが段々に悪くなっていきます。最近は、結婚しろと親がじかに言うような家庭はいっそ珍しいかもしれませんが、その親に対しては親族などから「息子さん、そろそろ結婚しないの?」「息子さん、どこで働いているの?」的な質問が存在していて、冠婚葬祭などの折には、そうした事実に直面するようなアクシデントが起こるようにもなります。

昭和の両親とバブルな諸先輩がたを見上げながら育った私達の世代は、こうした従来的な価値観をある程度内面化しており、いい歳になったら定職に就かなければならない、結婚しなければならないといった価値観に囚われがちです。内面化された価値観は自分自身のものですから、両親が死去しようが、自分の部屋に閉じこもろうが、逃げられるものではありません。

現代社会においては、人生選択は個人の自由という建前になっていますから、友達が結婚しようが他人が何を考えていようが、自分の価値観の通りに生きれば良いのですが、自分の価値観が昭和的・バブル的に構築されてしまった人間にとって、それに則った生き方の枠外で生きていくのは、かなりの葛藤を伴います。周囲が配慮しようが、社会の価値観が変化しようが、自分自身の価値観が変わらない限り、この葛藤からそうそう逃れることはできません。

90年代以前のライフプランニングも価値観も、もはや21世紀の現実には合致しない時代遅れなものだと頭で分かっていても、身に着けてしまった価値観はおいそれと脱ぎ捨てられないのです。

5　価値観・規範の内面化と生育環境——地域社会とニュータウンの違い

ここで、私達の世代における〝価値観の内面化〟がどういう環境で進行したのか振り返ってみましょう。

人間個人の価値観は、生まれ育った環境のなかで出遭った人物・メディアとの接触を通して、子ども時代から形成されていきます。また、コミュニケーションの技能や作法・パーソナリティといったものも、どういう環境でどういうコミュニケーションや暮らしを体験したのかによってある程度左右されます。そういった意味で、子ども時代の生育環境はかなり重要です。

団塊ジュニア世代～ロスジェネ世代は、伝統的な地域社会に育った人も多少はいたにせよ、首都圏に代表されるような、都市とそれを取り囲むニュータウンで子ども時代を過ごす人の割合がかなり増えた後の世代でした。〝他の親族から遠く離れた大都市圏で、ニュータウン暮らしをする核家族〟というライフスタイルは、高度成長期以降、そう珍しくなくなっていましたが、70年代にもなると一層一般的なものとなり、団塊ジュニア世代以降のかなりの割合は、地域的な人間関係や共同体意識の希薄な、ニュータウン的空間に生まれ育つようになりました。

高度成長期以前の地域社会では、比較的近い距離に親族が住んでおり、個別の家庭だけでなく地域そのものが家父長的な性格を帯びていました。地域の人間関係は濃密で、良い意味では互助的な、

表2-2　地域社会とニュータウン　生育環境としての比較

	地域社会	ニュータウン
時代	高度成長期以前	高度成長期以後
家族構成	大家族的・家父長的	核家族的・父親の影は希薄
人間関係	接点が過剰、拘束的	接点は過小、文脈ごとに分離
学びの内容	地域の規範や家事中心	勉強や稽古事中心
学びの対象	地域の年長者全般	親、教師、塾講師
遊びの人数	基本的に大集団を形成	一人遊びが増加
遊び道具	自分達で作成	大人がつくったもの
大人の手伝い	頻繁	勉強や稽古事優先の場合は減少
問題になるもの	イエ、地域の価値観・規範	家族の価値観・規範

悪い意味では拘束的・抑圧的な性質だったとも言えます。そういう性格のコミュニティのなかで子ども達は、遊ぶにしても親の手伝いや地域行事に参加するにしても、一人だけで好きなことをやる頻度は比較的少なく、多くの営みが非個人的で集団的でした。金持ちの子弟はともかく、農家の娘や息子にとっては学校での勉強内容はまだ決定的な意味を持ってはおらず、地域行事や家事手伝いから学ぶことのウエイトが大きかった、とも言えます。

対して高度成長期以後のニュータウンでは、両親以外の親族は遠方に住んでいることが多く、子どもの価値観やパーソナリティ形成に関与する余地は小さくなりました。出身の異なった者同士が集まるニュータウンの性質上、地域社会のような濃厚な人間関係は過去のものとなり、良い意味では自由な、悪い意味ではどこにどんな人が住んでいるのか不透明な状況下での生活が当たり前のものになりました。

学校の勉強内容は進路という形できわめて重要な意味

を持ち始め、塾や稽古事に通う子どもが増えていきました。こうした諸変化の結果として、放課後に子ども同士が集団で遊ぶためにはスケジュールの調整をする必要が生まれ、それが難しい場合、子どもは一人で遊ぶようにもなりました。

ここでまず注目したいのは、従来の地域社会に比べると、ニュータウンで育った子どもは、より少ない大人や年長者としか知り合う機会がないということ、言い換えれば、ニュータウンではより少ない大人しか生育環境に含まれないということです。

地域社会においては、両親以外の親族はもとより、近隣住民や町内会の大人達は全くの他人というより、ちょっとした身内のようなものでした。両親以外にも「この人の言うことは聞かなければならない人」が存在したという意味でもあり、「この人をお手本にしておけば、さしあたり問題のない人」が両親以外にも複数名いたという意味でもあります。地域全体の価値観や風習が抑圧的・拘束的な場合、かなり辛い環境だった一方、地域全体に共有されている価値観や風習をまずまず内面化できた人にとっては、ロールモデルや学習対象が複数名存在する環境だった、とも言えます※4。

※4　ここに書いたような生活環境は、戦前の日本社会でも、地域から切り離された暮らしをしていた知識階級・支配階級の子弟にはさほど当てはまりませんでしたし、そういう人々無しには、デモクラシー運動や近代文学は開花しなかったと推定されます。とはいえ、農村部の大半の子弟は、地域社会に組み込まれなければ生きることも難しい時代でした。

対してニュータウンでは、「この人の言うことは聞かなければならない人」や「この人をお手本にしておけば、さしあたり問題のない人」は両親以外には殆ど存在しません。近隣住民の殆ど、少なくとも多くは全くの他人であり、ショッピングモールやデパートで出会う店員との接点も、所詮は「店員と客」というものに限られていますから、子どもとしては両親の意見や価値観に左右されやすくなります。それゆえ、親の価値観や常識が極度に拘束的だったりエキセントリックだったりすると、子どもの価値観の内面化過程にとって致命的な打撃になり得ますし、もしそうなったとしても、周りは皆赤の他人である以上、両親以外の保険になるような年長者はどこにも存在しません※5。両親の価値観や常識が時代や社会に即しておらず、なおかつ非常に拘束的な性格を帯びていた場合は、インストールした価値観や常識と社会との乖離に苦しまなければなりません。

※5　では「学校の先生」はどうなのか？　ニュータウンで育った子どもにとって、学校の先生は両親以外の「この人の言うことは聞かなければならない人」の有力候補の一人です。しかし、そのためには条件があって、両親が学校教師を悪しざまに罵っていたり見下していたりする場合や学校教師が両親のイエスマンでしかなかったりする場合は、学校教師を両親以外のお手本や価値観吸収の対象とすることが著しく困難になってしまいます。

つまり、地域社会では地域社会の質や拘束性の大小が子どもの価値観やコンプレックス形成を大きく左右し、ニュータウンでは核家族内の両親の質や拘束性の大小が子どもの価値観やコンプレックス形成を大きく左右しやすい、ということです。子どもの生育環境としては、地域社会もニュータウンも一長一短なところがあり、どちらが優れているとは一概には言い切れませんが、さしあたり、子どもの価値観の形成や規範意識のインストール、そしてそれらに関連したコンプレックスが形成される際に問題となる大人が「どこの誰なのか」が大きく異なっているのは間違いありません。そして、生育環境のニュータウン的な度合いが強まるほど両親の性質や振る舞いの占めるウエイトが大きくなる、という点こそが、団塊ジュニア以降の世代を理解する鍵となります。

6 僕らは母親一人に育てられた

さきほど「ニュータウンでは両親の性質や振る舞いの占めるウエイトが大きい」と書きました。しかし、これは父親と母親の双方が子育てに平等に参与していればの話で、母子家庭や父子家庭の場合などは、片親からのウエイトが圧倒的に大きなものになります。

このことを踏まえながら団塊ジュニア世代以降が育った昭和後期～平成前期を思い出してみると、子育てに父親が参与する割合が非常に低い時代だった、ということが思い出されます。

高度成長期以降の日本男性のワークスタイルは〝モーレツ社員〟というキャッチフレーズに代表されるような、企業と社員の強力な一体感に裏打ちされた仕事人間的なものでした。しかし仕事に対して〝モーレツ〟であるということは、裏を返せば、家庭や子育てに対しては〝モーレツではない〟ことを意味します。それどころか、普段は職場で根を詰めすぎて休日は寝てばかりの父親のような場合、妻や子どもには〝役にも立たないがっかりとした父親像〟ばかりが目についてしまいます。70年代には漫画『ダメおやじ』が人気を博して物議を醸しましたが、それだけ当時すでに家父長的な父親イメージが失墜し、子育てに占める父親の存在感も希薄になっていたのでしょう。

加えて、80年代以降は父親の単身赴任が増加していき、90年代には単身赴任率は30％を超えています。つまり90年代に子どもだった世代――まさにロストジェネレーション世代以降がそれに該当します――においては、実に3割以上の家庭が単身赴任家庭だったのです。これに加え、離婚した家庭や別居家庭、仕事や遊びにかまけて夜遅くまで家庭に帰ってこない父親なども含めれば、当時のニュータウンにおける父親の存在感がいかに薄かったかが偲ばれます。

孤独な育児ストレスが加速した教育ママ的処世術

60～70年代の〝モーレツ社員〟や80年代以降の〝5時から男〟といったキャッチフレーズを思い出すにつけても、父親が家庭を顧みないようなワークスタイルは、それなりに社会的なコンセンサスを得ていたと考えられます。

当時は「子育ては母親がやるもの」「子育ての失敗は母親の責任」という意識の強かった時代でした。そのなかで、「私がしっかり育てなければならない」と気負って一人で行わなければならない子育ては、かなりの負担とストレスを母親に与えていたのだろうと思います。また、母親の気負いや使命感が強くなれば、いきおい、子どもに対する「こうしなきゃダメよ」という規範意識の提示も厳格な――そして拘束力の強い――ものになりやすかったと思われます。

このような負担やストレスを解決しつつ、一人で子育てを一生懸命行うための方便としてなかなか有効だったのが、教育ママ的な処世術でした。教育ママ的な処世術とは、子どものスキルアップや学力向上に熱心に取り組むというものですが、子育ての責任をきっちり果たすだけでなく、少なくとも以下のようなメリットがあった点も見逃せません。

①教育熱心な母親という世間体が得られる
②教育熱心な母親という自意識が得られる
③子どもとの一体感をいつまでも手放さずにいられる

①の世間体は、ニュータウンにおいてはさほど重要なファクターではありませんでしたが、とはいえ、親族との集まりや保護者会の集まりに出席した時にはある程度の意味がありました。
②は、「こんなに子育てに頑張っている私」という自惚れに似た心理的メリットがあるということです。母親一人の子育ては過酷ですから、そこに心理的な意味を見出さずにはやっていられない人にとって、「私は素晴らしい教育ママなのよ!」というナルシスティックな自意識を手中におさめておくことは、母親のメンタルヘルス維持という観点からすれば有利と言えます。
しかも教育という名のもと、子どもが大きくなってからも生活や教育に介入し、まめまめしく世話を焼けば、③のようなメリットもあります。身寄りもいなければ夫の帰りも遅いニュータウンに暮らす母親にとって、寂しさを解消し、一体感を得られる第一の相手は子どもです。第4章で詳述

しますが、人は、自分に自惚れたり誰かに褒められたりしなくても、誰かと一体感を感じてさえいられれば、自己愛を充たすことができます。殆どの人間は、自己愛を全く充たせなくなると精神的にしんどくなってしまいますから、孤独な母親ほど、子どもとの一体感を手放さないよう密接に関わり続け、自己愛を充たそうと躍起になりがちです。

つまり教育ママ的な処世術は、子育てを立派に果たそうという責任感を充たすと同時に、孤独な子育てのストレスに曝されがちな母親の心理的ニーズをも同時に充たす、一挙両得なものだったと言えます。

7 受験産業と透明な檻

こうした母親側のニーズにうまく対応してビジネスとして成功したのが、学習塾や稽古事といった教育産業だと思います。

学習塾や稽古事の使命は、第一には子どもに教育効果をもたらすことですが、前述のような、①母親の子育ての責任意識を充たす、②母親の世間体を守る、③教育熱心な母親としての自意識を守るといった母親の心理的なニーズを充たすツールとしても機能していた点は、見過ごされるべきではありません。しかも、④大人から学んでいる間は子どもが危険に曝される心配が無い、というセキュリティ上のメリットまであります。学習塾や稽古事は、母親が期待する多くのものを一挙に提供しているのです。

文部科学省「子どもの学校外での学習活動に関する実態調査報告」によれば、小学生の稽古事への参加率は、昭和60年度の時点で既に70％を上回っており、平成5年度には76・9％まで上昇しています。学習塾も、昭和60年度に小学生の16・5％、中学生の44・5％が通っていたものが、平成5年度には小学生は23・6％、中学生は59・5％が通うようになり、以後も大体これぐらいのパーセンテージで推移しています。

高度成長期以降に〝お受験〟が過熱していった背景には、産業構造の変化による知識労働者の必要性や、平均所得の増加など色々な要因が考えられますが、母親側が求める複数のニーズと学習塾や稽古事が提供する機能がフィットしていたから、という部分も見過ごせません。

自主性から受動性への転換

ただし、母親の教育ママ化に加えて、こうした学習塾や稽古事の利用が増えたことによって、ニュータウン育ちの子どもは大きな問題に直面することになりました。

ニュータウンにおける子育ては、個々の核家族の自由裁量が尊重されます。このため親の裁量次第で子ども時代の生活や体験が大きく偏ってしまう、という事が起こり得ます。例えば放課後の過ごし方（塾に行くのか・ピアノを習いに行くのか・遊び時間にするのか）も、その気になれば毎日塾や稽古事に行かせることだって可能です。前述のように、学習塾や稽古事は母親の心理的ニーズを充たす性質もありましたから、子育てのプレッシャーを強く感じている母親であれば、経済的な事情が許す限り、子どもを通わせようとするでしょう。

問題は、そうやって塾や習い事に時間を費やす子どもでも、自主性や自発性が従来までと変わらず育てられるのか？　ということです。塾や習い事に行けば、子どもが自主的に遊ぶ時間はそれだけ少なくなってしまいます。大人のインストラクターの指示通りに教わる体験をしている時間は、自分の判断や欲求のままに過ごす時間ではありません。

もちろんニュータウンの子ども達とて、子ども同士で自主的に遊ぶ機会はあるでしょう。とはいえ、めいめい塾や稽古事に通っている子ども同士が一緒に遊ぶためには、お互いのスケジュールを調整し、皆が集まれる時に集まるしかないので、一緒に遊ぶ頻度はどうしても少なくなってしまいます。塾や稽古事の少ない子の場合も、周りが塾や稽古事にばかり行っていれば、子ども同士で自主的に、というわけにはいきません。

しかも子ども同士で一緒に遊ぶと言っても、遊びの中身は旧来の地域社会の子ども達のそれとは少し異なります。昔の子ども達は、遊ぶ場所も、遊び道具も、遊びのルールも、概ね子ども達の自主性に委ねられていて、それらを大人が指定したり強制したりする拘束力はあまり強くありませんでした（表2-2）。これに対し、ニュータウンでの子ども遊びは、（公園や児童センターのような）大人が決めた場所・大人が決めたルール・大人が用意した遊具で専ら遊ぶことになります。遊んでよい場所・遊んでよい道具など、多くの事柄が予め大人達によって決められており、自分達で遊びをクリエイトする自主性・自由度は相対的に少なくなっていました。

結果として、ニュータウンで育った子どもは、地域社会で育った子どもに比べると母親の意志や大人の承諾の内側で多くの時間を過ごしやすくなり、自分達の自主的な判断に基づいて過ごす時間が減少しがちになりました。おおまかな傾向として、子ども時代の体験が、自主的なものから受動的なものへと質的に変化した、とも言えます。

80年代に入ると、言われた通りの事しかしない新卒社員を揶揄する〝指示待ち人間〟という言葉が使われるようになりました。80年代に新卒社員ということは、世代的には1950年代後半～60年代生まれに相当し、「全国総合開発計画」でつくられたニュータウン――多摩ニュータウンや千里ニュータウンのような――で子ども時代を過ごした最初の世代にあたります。

その後も、新社会人の自主性不足はたびたび問題視され続け、子どもの「生きる力」の向上を期して1998年からは「ゆとり教育」が始まりました。しかしそのゆとり教育を受けた、いわゆるゆとり世代になって若者の自発性が回復したという話はついぞ聞きません。それもそうでしょう。学校のカリキュラムを簡略化しようが、土曜が休みになろうが、塾通いや稽古事がろくに減らず、ニュータウン的な生育環境も変化していないのですから。それどころか、近年はGPS付携帯が登場する等、大人が子どもの時間と空間を管理するためのアメニティは強化される一方です。

このような、いうなれば〝透明の檻〟に閉じ込められて子ども時代を過ごした世代が、放課後散々自分達で遊びをクリエイトしていた世代と同じくらいの自主性や自発性を持てるものでしょうか？　こうした自主性よりも受動性の先行しやすい生育環境からの影響は、私達の世代の問題であると同時に、これからの世代の問題でもあります。

8　ファミコン第一世代の社会病理

こうした自主性の問題に加えて、私達の世代はコミュニケーション能力の乏しさもよく指摘されます。第1章でも触れたように、現代社会はコミュニケーションの技能やノウハウを求められやすくなっているのですが、それに反して、若い世代ほどコミュニケーションの技能やノウハウが足りない、と指摘されるのです※6。

※6　しかし、実際に年配の人達と話をしていると、年配の人達にもコミュニケーションの技能やノウハウが足りていない人や、そのあたりの年の功が欠けている人にもそれなり遭遇するように思います。コミュニケーションの技能やノウハウが世の中に求められているのは確かですが、そのような要請に見合った技能を年長者がどれだけ持っているのか、年長者が自分達とは異なる価値観や世代とのコミュニケーションにどこまで開かれているのかは、不思議なほど点検されません。

こうした諸能力の欠如の原因については、テレビゲームやアニメといった子ども向けメディアによる悪影響が盛んに語られてきました。実際、私が小学生ぐらいの頃も、周囲の大人達がこんな事を言っているのを耳にしたものです――「任天堂は、ファミコンで日本の将来を駄目にするだろう」。この「ファミコンが日本の将来を駄目にする」論に限らず、その後も〝テレビゲームの悪影響〟は手を変え品を変え指摘され続けてきました。中身はただのトンデモ本だった『ゲーム脳の恐怖』（森昭雄、ＮＨＫ出版、2002）がベストセラーになった事を思い出すにつけても、自主性もコミュニケーションも駄目な子ども達が生まれてくる原因を、テレビゲームのせいにしたくてウズウズしていた人が、それだけ沢山いたのでしょう。

ファミコン登場から30年近い時が流れ、任天堂は世界を代表するゲーム会社の一つとなり、〝プライベートな空間でゲームを楽しむ〟という文化習俗が定着しました。通勤電車のなかで携帯電話やスマートフォンでゲームを遊んでいる成人の姿もよく見かけます。そんな、〝付き合い〟〝飲みニケーション〟よりも、小さなディスプレイでピコピコ遊ぶほうを優先させる私達の姿は、年配者の目にはコミュニケーション不全の象徴と映るでしょう。「いい歳してゲームなんかやっているから結婚出来ないんだ」「ゲームなんかやってないで車を買ってドライブしろ」という台詞も聞こえてきそうです。

問題の本質は〝一人遊び〟

しかし、本当にファミコンが私達の世代を駄目にしたのでしょうか。

ファミコンが爆発的に売れた第一の理由は、ゲームが面白かったからでしょう。しかしファミコンが出てきた当時、地域社会の小学生だった私の記憶を辿ると、ファミコンだけが飛び抜けて面白い遊びだったわけではありませんでした。面白いボードゲームも沢山ありましたし、ファミコンとて大集団での外遊びの面白さには敵いませんでした。

ただし、ファミコンには他の遊びには無いメリットがありました。ボードゲームも、ケイドロも、草野球も、どんなに面白くても一人では遊べませんが、ファミコンなら一人でも十分に遊べるのです。

とはいえファミコンが出て間もない頃は、この「一人でも遊べる」というメリットを意識している子どもは（私の周囲には）少なかったと記憶しています。地域社会の子どもの常として、〝遊びはみんなでやるもの〟という習慣がしっかり身に付いていたので、ファミコンが普及してもあくまで「友達の家に集まってみんなでファミコン」をしたのです。だからこそ、ファミコンゲームのなかでも複数名で遊べるゲーム※7や、皆で知恵を出し合って遊べるゲーム※8が、ことのほか重要視されていたものです。ですから少なくともファミコン登場当時、ファミコンが子どもの遊び方のスタイルを決定的に変える力を持っていたようには、私にはどうしても思えません。

※7　例えば「マリオブラザーズ」や「キングオブキングス」のような。

※8　例えば「チャンピオンシップロードランナー」や「フラッピー」のような。

ところが、皆が学習塾や稽古事に通いはじめるようになり、友達と一緒に遊ぶためのスケジュール調整が難しくなった頃から、「一人でも遊べる」というファミコンのメリットがジワジワ効いてくるようになりました。従来型の遊びは友達が集まらなければ楽しくありませんが、ファミコンなら一人でも遊べるのです。この頃になると、「ドラゴンクエスト」「ファイナルファンタジー」といった一人で遊ぶのに適したロールプレイングゲームがシリーズ化されるようになり、さらに携帯用ゲーム機（ゲームボーイなど）が発売されたことで、友達がいてもいなくても、いつでもどこでもゲームが楽しめるようになっていきました。

一人でゲームをやっている時間が増えれば、そのぶん子ども同士でコミュニケーションをとる時間は減少しますから、確かに、ゲームをやっている時間が増えすぎるとコミュニケーションの技能が鍛えられないというのは道理です。この点において、テレビゲームはファミコン世代以降のコミュニケーション能力低下の一因を招いたと言えなくもありません。

しかし、地域社会からニュータウンへと街が移り変われば、小学生が集団で自由に遊べる場所が少なくなりますし、塾通いや稽古事が日常化していけば、集団で集まれる時間も少なくなります。そうなると子どもの手元に残るのは、〝一人ぼっちの自由時間〟ばかりですから、「家で一人でゲーム」「通学途中に携帯ゲーム」という遊び方が定番化するのも仕方ないでしょう。

ですから、「ファミコンが流行ってコミュニケーションの技能を奪った」と考えるよりは、「ファミコンが流行るような一人遊びの時間がコミュニケーションの技能を奪った」と考えたほうが、事実に即していると私は思います。本当の意味で〝戦犯〟として告発すべきは、ファミコンや漫画やアニメの類よりも、子どもが集まって遊ぶ時間を削り取った受験戦争と、その受験戦争を要請した諸々の背景、ということになるのではないでしょうか。

9　ネット前夜の原風景をもつ、初めてネット漬けになった世代

このファミコンに限らず、高度成長期以降の日本では一人遊びに適した子ども向けコンテンツが空前のヒットを見せるようになりました。例えば1995年には『少年ジャンプ』が史上最多の部数（653万部）を記録していますが、これなども、それだけ多くの青少年が漫画をそれぞれ個別に購入し、それぞれ個別に読むようになったからこその数字です。

また、昭和も終わり頃になると「子ども部屋」がいよいよ普及しはじめ、子ども部屋・テレビ・ビデオデッキ・大きな本棚を与えられた子どもが珍しくなくなっていきました。昔は、よほど経済的に余裕のある家庭でもない限り、子どもに一人部屋が与えられるなんて事は無かったのですが、大都市近郊にマイホームの建築ラッシュが進んだ80年代以降、庶民の子どもでも、自分の部屋を自分の好きなコンテンツでいっぱいにする事が可能になっていきました。20世紀末は、ニュータウンという家の外側だけでなく、家の内側でも子どもの自由時間がスタンドアロンになっていった時代と言えます。その流れは21世紀に入っても止まることがなく、携帯電話、ワンセグ、スマートフォンの普及といった形で受け継がれています。

宙ぶらりん状態がもたらす〝無い物ねだり〟

「地域のルールから親のルールへ」「集団の子ども遊びから、一人の子ども遊びへ」「家族でテレビを見る時代から、一人でテレビを見る時代へ」――子どもの生育環境の変化としてどれも無視できないものばかりですが、20世紀後半の日本では、これらが一気に進行したのです。このため私達の世代は、親世代に比べると主体性やコミュニケーションの体験蓄積が少なく、後発世代に比べると現代社会を前提にした割り切った価値観も処世術もインストールされていない、宙ぶらりんな境遇を生きることになりました。親の世代にあった能力を欠き、親の世代が働いたような社会状況を失っているにもかかわらず、いまだに心のどこかで親の世代のような暮らし・親の世代のような成功を夢見ているのが私達の世代ではないでしょうか。

これが、私達より後に生まれた世代（80年代後半生～）にもなれば、バブルは二度とやってこないという大前提のもと、私達の世代を反面教師にしながら価値観や処世術を形成できるわけですから、〝無い物ねだり〟で不幸をかこつような事態は回避できます。「高学歴であれば高収入が保証される」的な受験神話を信じている人はもうそれほどいませんし、〝根性で何とかしろ〟的なロートル上司・ロートル親に悩まされることもありません。

しかも彼らはデジタルネイティブであり、呼吸するようにデジタルコンテンツとインターネットに親しみ、新時代に見合った技術と価値観を形成しつつある人々です。第3章でも触れますが、例えば、私達の世代が「ディスプレイの中の美少女のほうが現実女性よりも好き」と言えば単なる痩せ我慢とみなされるでしょうが、現実の異性に恋する以前から、現実の異性よりピカピカに磨き上げられたキャラクターに出遭う世代においては、もはや冗談や痩せ我慢とは限りません。生まれながらに洗練されたコンテンツとキャラクターに浸かりきって育った後発世代は、〝クリスマスを異性と過ごさなければダサい〟〝オシャレなレストランに女性を誘えなければ失格〟的な価値観に振り回されることなく生きていけるのです。

今となっては達成困難になった、バブリーな経済観念・恋愛観念を抱えて苦しむのは、おそらく私達の世代が最後でしょう。昭和時代の生き方が可能な先発世代は、何とか逃げ切るでしょうし、21世紀の生き方に適応した後発世代は、これはこれで新しいライフスタイルと価値観を構築しつつあります。そのどちらから見ても中途半端なのが私達であり、私達の育った移行期だったのです。

第3章　ミソジニー男とクレクレ婚活女の織りなす空前のミスマッチ

「最近の若い人は、恋愛もしなければ結婚もしない」――そんな風に言われるようになってずいぶん経ちます。

二〇一〇年の国勢調査によれば、30～34歳男性の未婚率は48・8%、同じく女性の未婚率は35・7%だそうです。1950年には、それぞれ8・0%、5・7%でしたから、ものすごいスピードで非婚化・晩婚化が加速しています。海外とは異なり、日本では婚外子が非常に少ないわけですから、非婚化・晩婚化は少子化にダイレクトに反映されるでしょう。社会は、そうした焦りの目で私達の世代を眺めていますし、私達自身も焦ってはいますが、いつの間にか、結婚とはとても難しいものになってしまったようです。

こうした「結婚できない理由」としてよく挙げられるのは、経済的な問題です。厚生労働省が行っている「21世紀成年者縦断調査」という調査のなかに、2002～2008年の6年間に未婚者男女がどれだけ結婚したのかを追跡調査したものがありますが、この調査によれば、年収400万円台の男性の26%が結婚したのに対し、年収100万円未満の男性は8・9%しか結婚していません。同調査によれば、男女ともに8割の人は結婚を望んでいるといいますから、経済的な問題が結婚を阻んでいる様子が窺われます。

実際、結婚して子育てをしていくためには金銭がそれなりに必要ですから、懐事情が婚姻率に反映されるのは、当然といえば当然かもしれません。年収100万円未満で子持ち家計を支えるのは、デフレ経済下といえども無理があります。ですから非婚化・少子化対策の処方箋として非正規雇用問題や景気回復を優先させるべき、と主張する人の言い分はもっともだと思います。

しかし、婚姻率の低下をすべて経済問題のせいとみなし、あたかも単一原因のように論じる向きには、私は賛成できません。バブル以前を振り返ってみれば、貧乏人でも大体結婚していたわけですし、現在の年収400万円以上の男女にしても、結婚しない人やできない人がいるのですから。

そして、どうにか結婚までこぎ着けても私達の世代はなかなか上手くいかないらしく、厚生労働省「離婚に関する統計」によれば、他の世代・他の時代と比べて離婚率は高めです。結婚しても、私達の世代は男女の仲を維持できないらしいのです。

経済的な問題にプラスαするような、心理や価値観の次元において男女の仲を妨げる要素があるとしたら、どういうものなのか？　第3章では、私達の世代にありがちな恋愛上の袋小路のパターンを幾つか紹介しながら、現代の男女関係を巡る心理的問題について触れてみたいと思います。

1 「酸っぱい葡萄」のメンタリティ

まず最初に、恋愛上の袋小路としては最も極端な「女性は酸っぱい葡萄」というパターンを紹介します。

イソップ物語の「酸っぱい葡萄」という逸話をご存知でしょうか。――高い所に実っている葡萄を欲しいと思った狐が、食べようとしても手が届かない。その悔しさと腹立たしさに、最初は欲しかった筈の葡萄を「高いところの葡萄は酸っぱくてろくなもんじゃない」と思い込むようになる――というお話です。英語圏では、この酸っぱい葡萄Sour Grapesは〝負け惜しみ〟を意味する慣用句にもなっていますし、精神分析の世界では防衛機制のひとつ「合理化」とも呼ばれています。

防衛機制とは、心に備わった自動ブレーキのようなメカニズムを指す言葉です。人間の心には、認めてしまうと都合の悪い欲求、思い出すと動転してしまいそうなトラウマといった、直視すると強いストレスや葛藤状態に陥りそうなものから心を守るためのメカニズムが備わっていて、無意識のうちに作動し心の安定を維持するようにできています。

防衛機制というメカニズムには幾つかのバリエーションがありますが、「合理化」は、充たせない欲求を諦める際、葛藤に心を乱されないようにするために、後付け的に「あれは最初から手を出さなくて正解だったんだ」と自分自身に無意識で言い聞かせるようなパターンを指します。最初は

図3-1　主な防衛機制

否認	現実世界からの苦痛についての感覚情報を否定し、避ける
抑圧	不安や欲求不満などを無意識の領域に追い払い、押さえ込む
投影	受け入れがたい自分の衝動を、他者のものとして知覚し反応する
取り入れ	対象の特徴・属性をコピペすることで、自分の不安や葛藤を軽減する
合理化	もっともらしい理屈をつけることで、本当は受け入れ難い振る舞いを正当化する
知性化	感情的表出／経験を避けるために、知的処理を過剰に用いる
反動形成	受け入れがたい衝動を、その反対のものに変えること。慇懃無礼などが典型
解離	情動的苦悩を避けるために、自分の人格を一時的だが徹底的に一部変更する
退行	心理的に未発達の状態に戻ることで、現状の緊張や葛藤を避ける
昇華	社会的に好ましくない欲求・衝動を、妥当な形に変えたうえで充足を求める

メディカル・サイエンス・インターナショナル『カプラン臨床精神医学テキスト 第二版』（2004）P.221より抜粋、一部改変

欲しくてしようがなかったモノや達成したくてしようがなかったモノがいつまでも手に入らず、嫌になってくるうちに、「あれは最初から手を出さなくて正解なんだ」と考えや記憶がすり替わって行った場合などは、この「合理化」という防衛機制のメカニズムが途中から作動して、欲求不満によるストレスを軽減している可能性大です。

ここでいう「女性は酸っぱい葡萄」とは、まさにこの「合理化」が起こっている男性を指します。「女なんてろくなものじゃない」「女なんてクソ」といった言動を繰り返し、女性を脱価値化することによって、女性に手が届かない欲求不満やイライラを軽減させている・させざるを得ない男性がいる、ということです[※1]。「手が届かない異性は酸っぱい葡萄」に考えが切り替わっておけば、異性絡みの願望を充たしたくても充たせない葛藤によるストレスを最小化できます。

※1　インターネット上では、そういった男性同士が集まって「女なんてろくなものじゃない」というシンパシーを共有して一体

感を充たすようなムーブメントがみられた時期がありました。例えば、2005〜07年頃の「非モテ論壇」の人達や、2chの「もてない男」板の人達などがまさにそれです。

私達は男と女の結びつきによって生まれてきますし、第二次性徴を迎えた人の大半——特に男性——は、異性に大なり小なり興味や関心を抱くものです。もちろん世の中には、異性への興味が本当に欠けている珍しい人、異性云々以前に自分の性に対して嫌悪感や恐怖感が先立つ人、幼少期に性的虐待を受ける等によってややこしい事になっている人、ホモセクシャルな人などもいますし、若い世代を中心に、現実の異性よりコンテンツに登場するキャラクターのほうが良いという人も最近増えています（後述）。しかし、そういった特殊事情を抱えていないにもかかわらず、「異性なんて良いものじゃない」「異性が嫌い」と口にする人も少なくないのです。

「そんなのは精神科医お得意の勘ぐりだ。防衛機制なんて証明できないじゃないか」と反論する人もいるかもしれません。実際、血液検査やCTスキャンのような検査では、防衛機制なんて証明できませんから。しかし、後になって〝ああ、やっぱりあれは「女性は酸っぱい葡萄」だったんだ〟と判明するような人なら、少なからず見かけます。

例えば、「異性なんてろくなもんじゃない」と口で言っていた人が、ある日、間近に異性が現れてコミュニケーションが始まってみると、「異性なんて……」とはピタリと言わなくなって、敬遠するどころか喜んで話し込んでいるようなケースや、友達に異性を紹介されるや、すっかり有頂天になってしまうようなケースです。あるいは脈ありと見るや「ダメな俺を丸ごと受け止めてくれ症候群」（後述）に移行するケースも見た事があります。

そもそも、「異性なんて……」と言及を繰り返している事自体が、異性に何らかの関心がある証拠ではないでしょうか。好悪の別はさておき、言及するからには異性に何らかの関心があるか、そうでなければコンプレックスが存在する筈で、本当に異性に無関心なら、自分からわざわざ言及を繰り返しはしないでしょう。「女性が好き」の反対は「女性が嫌い」ではなく「無関心」でしょうに、「女性は酸っぱい葡萄」な人達は、どうもそのあたりを履き違えているようです。

無いものづくしの世代が選んだソリューション

そして私達の世代の特に男性は、団塊世代やバブル世代に比べて、こうした「女性は酸っぱい葡萄」に陥りやすいと言えます。

団塊世代であれば、恋愛結婚よりも見合い結婚が優勢で殆どの男女が配偶しましたから、自分が女性に手が届かないと端から諦めなければならない人はそういませんでした。また、バブル世代であれば、メディアを通して自由恋愛が吹聴されていたうえ、若者も経済的に比較的恵まれていましたから、「誰でも自由に恋愛できる（そしてすべき）」という希望を早々から砕かれる男性は多くありませんでした。当時のアッシー・メッシー・貢ぐ君といった言葉は、女性に振り回される気の毒な男性を連想させますが、そういう言葉が流行った程度には、女性受けの良くない男性でも女性にお金を払う余裕があって、頑張れば自分も恋愛できると思っていた、ということです※2。

※2　ただし、これは「誰でも誰かに恋できる」ことは意味していても「誰でも誰かと結婚できる」ことは意味していなかった点は断っておきます。恋愛結婚がいよいよ主流になった80〜90年代には、早くも未婚率が上昇し始めています。〝男女関係を自由化すると、「恋」は誰にでも出来るが「配偶」は誰でも出来るとは限らない〟という、自由恋愛に基づく配偶システムの特徴が、80年代には早くも現れはじめています。

しかし、団塊ジュニア〜ロスジェネ世代の男性の場合は、バブル世代のような経済的恩恵も、団塊世代の見合い結婚的な配偶システムの恩恵も受けられませんから、異性に全くアプローチのしようのない層がどうしても増えてしまいます。しかも同世代の女性達は「年収○百万円以下の男は願い下げ」的な（バブル当時よりは〝妥協〟したものとはいえ）経済指標で男性を選びがちですから、不況の煽りを受けて収入面で厳しい男性は、よほど甲斐性や魅力がなければ女性に選んで貰えません。まして、出会いの場も無い・コミュニケーション能力も無い・自発性も無いと三拍子揃ったような男性の場合はどうしようもありません。

そうやって同世代女性から不可触民扱いにされてしまった男性が、それでも異性への願望を抱き続け、絶望し続けるのは心理的には非常にしんどいでしょう。そのような境遇に立たされた男性が、付き合いもしないのに——否、付き合いもしないからこそ！——「女なんてろくなもんじゃない」と思い込み、自分の心を挫けさせないよう立ち振る舞うのは、心理的にはすこぶる合理的です。

2 「めんどくさい」という物言いの深層——本当に興味ないわけがない

「女性は酸っぱい葡萄」は、異性への願望に完全に蓋をしてしまうわけで、そこまで強固に異性を遠ざけようとする人・遠ざけなければならない人は、多数派を占めるほどではありません。実数としてそれよりずっと多いのは、「(異性にアプローチするのは)めんどくさい」という処世術です。「めんどくさい」——異性に興味が無いわけではないけれども、誰かに恋して夢中になっているわけでもない。もし誰かが付き合ってくれるなら嬉しいけれど、積極的に誰かを好きになるのも、誰かに好かれるために頑張るのも御免蒙りたい——正体は、大体こんな感じでしょうか。

「女性は酸っぱい葡萄」とは違い、「めんどくさい」人々は、異性への願望を諦めきっているわけではありません。しかし異性を求めて得られないストレスに直面するかというと、案外そうでもないのです。なぜなら、誰かに恋しているわけでも、誰かに好かれるために努力しているわけでもない限り、本気で異性を求めた時のように「ああ、ダメだったんだ……」と失望せずには済みますし、〝いつか本気で異性を求めれば何とかなる私〟という気持ちも手放さずに済みます。

この構図は、第1章で紹介した「全能感を維持するために『なにもしない』人達」に似ています。異性に対して「本気で恋していない」「好かれるために必死になっていない」限りは、どれだけ縁が無かろうとも、「本当に頑張れば異性に好かれる私」という幻想を捨てなくても済みます。

もちろん、思春期前半からそんな消極的な処世術を延々と続けていれば、この自由恋愛のご時世、異性と縁を持つなど夢のまた夢……というより男女交際のノウハウが無蓄積のまま歳ばかり取っていくので、異性はどんどん遠のいてしまいます。しかしこの「めんどくさい」という処世術を採る人は、異性との縁が得られる確率より、異性に本気になってアプローチして、それが失敗に終わって自分が傷ついてしまう事態を回避するほうを優先するので、そこのところはあまり忖度されません。アニメでも車でも仕事でも何でもいいですが、異性以外の分野で自分の好きな事を好きなようにやって、なおかつ、「本当に頑張れば異性に好かれる私」という幻想も捨てることなく、なんとなく自惚れていられればそれで十分じゃないか、ということです。「女性は酸っぱい葡萄」ほど険も立たないぶん、こちらのほうが家族を心配がらせずに済むというメリットもあります（恋愛観で家族を心配がらせてしまうような事態はそれこそ「めんどくさい」ですから、「めんどくさがり」な人にとって絶対に避けなければならないものです）。

第2章で触れたように、私達の世代は（良くも悪くも）主体性が弱めの傾向がありますから、「女性は酸っぱい葡萄」ほど心の蓋を強固にしなくても、異性にまつわる葛藤はさほど大きくはなりません。それでいて、自分の好きなことを好きなように楽しめ、しかも親をむやみに心配させずに済むというのは、かなりオイシイ処世術と言えます。そして逆説的ながら、自由恋愛のご時世だからこそ、「めんどくさい」という態度を取る息子や娘に、親は「いい人が見つからないのか、それなら仕方がないな」以上の事を言いたくても言えないのです※3。

※3　これが団塊世代ぐらいの世代であれば、当人が結婚を望んでいなくても、世間体の問題やイエの問題から、かなり強引に縁組が出来なくもありませんが、今日日、そのような強硬手段に出られる親は滅多にいません。

3　アニメ美少女でなければ愛せない男／韓流スターでなければ愛せない女

そして、異性への願望を充たしてくれるメディアコンテンツが物凄い勢いで発展しているため、そちらで満足してしまえる人も増えてきています。

たとえば10年ほど前までは、美少年／美少女キャラクターとの疑似恋愛ゲームなんてやっているのはよほどのオタクだけでしたが、最近は、ゴールデンタイムのテレビ広告にも疑似恋愛ゲームを見かけるようになりました。また、架空のキャラクターでなくとも、ＡＫＢ48やジャニーズのように、年余に渡る蓄積と流行を踏まえて精巧につくられたアイドルタレントや、韓流スター等も活躍しています。そうしたアイドル達を消費するのも、ごく普通の男女だったりします。

これまでにも、異性への願望を充たしてくれるようなメディアコンテンツが無かったわけではありません。ハーレクイーンのような恋愛小説もありましたし、男性向けのエロという意味ではビニ本なども存在していました。アイドルタレントの歴史にしても、決して短いものではありません。ただ、そういったコンテンツも、（ハーレクイーンのように）海外小説をとにかく翻訳したものだったり、（ビニ本のように）街の女性に比べてくすんだものだったり、（アイドルタレントのように）まだまだ開発途上なものだったりしました。

ところがここ20年ほどで状況は一変しました――恋愛小説はかわいらしい表紙のライトノベルに取って代わり、出版界の不況をよそに一大ジャンルを形成するようになりました。男性向けのエロも、昔では考えられなかった美人が登場するアダルトコンテンツが登場し、アイドルの分野でも、ファンに疑似親近感を与えるための計算を施されたＡＫＢ48のような、優れたデザインが登場しました。

こうしたコンテンツ群の発展と普及によって、少なくとも二種類の「コンテンツでなければ異性を愛せない男女」が出現しているように見受けられます。

一つめは、①現実の異性の代用品としてではなく、美少女／美少年キャラクターにこそ心奪われる人です。

近年は、思春期前半から魅力的なキャラクター達にドップリ浸かって育つ人が珍しくありません。その結果として、異性に対する魅力の判断基準が現実異性ではなく、架空のキャラクターのほうになってしまっている人が現れています。キャラクターはあくまでディスプレイの向こう側の存在なので、手を握ったりデートしたり出来ないという欠点がありますが、魅力には混じりっ気が無く、怒ったり拒絶したりすることもありません。そんな、安全で純度の高いキャラクターに馴染み続けてきた人達にとって、現実異性とは、魅力の純度が低くノイズだらけのうえに、危なっかしい存在と感じられるのかもしれません。

そういう人達にとって、キャラクターは現実異性の代用品ではなく、キャラクターこそが〝本命〟になり得る、というわけです。こういう感覚は、まだセクシャルコンテンツがさほど洗練されていなかった時代に育った人達にはついていけないところかもしれません※4が、徐々に増えていると思われます。

※4　現実異性よりコンテンツの異性が好き、という人は昔も少数ながら存在していました。例えば1989年に出版された『別冊宝島・おたくの本』には、現実異性と付き合ってセックスをしてみたけれども、結局コンテンツのなかの美少女のほうが良いと結論を出した男性おたくの話が載っています。しかし現代に比べると、当時のコンテンツは絵もテキストも貧弱で、余計なノイズもかなり混入していましたから、よっぽど想像を広げられる人でもない限り、架空のキャラクターが現実異性に優越するところまでは至りませんでした。妄想力、もとい想像力の豊かな、ごく少数のおたくエリートだけに可能だったと言えます。

二つめは、②セクシャルなメディアコンテンツがさほど発達も普及もしていなかった頃に思春期がスタートし、まずは現実異性に心惹かれ、その後、現実異性の代用品としてアイドルやキャラクターを消費するようになった人達です。私達の世代の場合、よほど年季の入ったオタクでもない限りは、こちらだと思います。

このような人達も、高度に発展したアイドルやキャラクターを消費しないわけではありません。なぜなら、現実異性にアプローチするのに比べると、コンテンツを消費するのはお金も時間も低コストだからです。そのうえ、アイドルやキャラクターは傷つくようなことは言いませんし、むしろ甘い声で励ましたりしてくれますから、全能感を折られるリスクもありません。先に挙げた「めんどくさい」人達にとっては、異性への願望を適度に充たせて、ちょうど良い塩梅とも言えます。

しかし、こうした人達にとってアイドルやキャラクターは〝本命〟ではありません。ディスプレイの向こう側に〝本命〟を見出したり、現実異性をノイジーだと感じる境地に辿り着いたりしていませんから、心のなかでは現実異性への未練を残しています。②の人達にとって、所詮、ディスプレイの向こう側は都合の良いつくりごとの世界でしかないのです。

結果として、②の人達は中途半端な境地に留め置かれることになります。そのうえアイドルやキャラクターに親しんでいれば、異性を見る目が無駄に肥えてしまいますから、異性に対して高すぎる理想を期待してしまいがちです。

男女双方が、アイドルやキャラクターといった本来あり得ないほどの〝魅力の塊〟を知ったうえで現実異性を眺めるようになったら、何が起こるでしょうか？　異性を好きになる際の採点基準が辛くなって、そのぶん異性に惚れにくくなるでしょうし、異性に好かれる際の採点基準も厳しくなって、それだけハイレベルな自分を繕わなければならなくなってしまうでしょう。これでは、現実異性に未練が残っていようとも、なかなか恋なんて出来ませんし、前述の「めんどくさい」処世術の人達が一層めんどくさがることになってしまいます。

こんな具合に、百花繚乱な日本のセクシャルコンテンツは、①の人達では直接的に、②の人達では間接的に、男女がお互いに恋する可能性を遠ざけています。アイドルやキャラクターは、恋愛に「めんどくさがり」な人にとって労せずして疑似恋愛やセックス願望を補償してくれる便利なアイテムであると同時に、男女双方の採点基準を辛くしてしまうことによって現実異性との恋愛や配偶の可能性を難しくしてしまう諸刃の剣、と言えそうです。

4 まっとうな男女交際って、それなりに修練しないと無理じゃね？

しかし、「女性は酸っぱい葡萄」「めんどくさい」的に異性を回避しながら、セクシャルコンテンツを消費するなどして好き勝手に過ごしている限りは、男女交際のノウハウも、異性とのコミュニケーションの呼吸も、いつまで経っても身に付きません。

そして、男女の恋には〝年齢相応〟というものがあります。

例えば中学生や高校生の恋であれば、不器用な告白も年相応でしょうし、自分のエゴと異性への献身を勘違いしてしまうとしても、それはそれで貴重な失敗でしょう。デートに際してのマナーや感情面での機微といったものも、まだ若い男女には望むべくもありません。

しかし、そんな中高生もいつかは大学生になり、社会人になっていきます。歳を取れば「この歳の男性／女性なら、これぐらい出来ていて当然」という気持ちが男女双方に芽生えますから、極端にマナーの出来ていない人や自分本位なままの人などは厳しい減点の対象になってしまうでしょう。

そもそも、〝パートナーの意志を汲み取りながらの対等な男女交際〟という、結婚する二人にあって然るべき態度を身に付けるだけでも実はかなり大変で、それなりに修練や経験蓄積を必要とするものではないでしょうか。試行錯誤と幾らかの苦い経験、そして経験や修練を教訓へと生かすことも無しに、〝パートナーの意志を汲み取りながら尊重しあえるような男女交際〟や、いわゆる〝大人の男女交際〟に誰もが到達できるとは、私には思えません。一度も異性と付き合ったこともないのに、初手から大人びた態度を異性に取れるような人は、よほどの例外でしょう。

ということは、男女が結婚適齢期の頃になって望ましいパートナーシップを構築できるようになるためには、多少なりとも男女間のコミュニケーションや恋愛経験を積んでいなければ難しい、と考えられます。「女性は酸っぱい葡萄」「めんどくさい」的な処世術を長年採用してきた人は、こうしたノウハウの蓄積がありませんから、歳を取ってから急に婚活を始めても、親切な友人から異性を紹介してもらっても、年齢不相応な振る舞いしか出来ず、失敗に終わってしまう可能性が高いでしょう。「30歳の人を紹介してもらったつもりなのに幼稚な人だった」ではどうにもなりません。

構造的に難しい恋愛ノウハウの蓄積

この観点から少子化・非婚化について考えてみると、なぜ、少子化・非婚化対策として若い頃からの男女交際を奨励しないのか、私は不思議な気持ちになってきます。大人の男女交際のためには学生相応の男女交際が、学生相応の男女交際のためには中学生相応の男女交際が、それぞれ土台としてあったほうが良さそうなものを、そういった積み上げプロセスはいっこうに整備されていないし、重視されてもいないのです。現代の男女の配偶が、イエの都合や取り決めによってではなく、

（婚活であれ恋愛であれ）男女間のコミュニケーションを介した合意のもとで行われる以上――そして結婚後の望ましいパートナーシップのことを思うにつけても――男女交際のノウハウを誰もが相応に積めるようなパスウェイは社会に必要な筈です。にもかかわらず、そうしたパスウェイに相当するシステムが世の中には存在していません。

学校教育に喩えると、現代人にとっての男女交際は、〝選択科目〟や〝課外活動〟のような扱いを受けています。「英語も数学も必須だから皆やりなさい。恋愛は、したい人だけやって良し」――そんな感じですから、思春期が始まっても全員一律に男女交際のノウハウを蓄積しはじめるわけではなく、自主的にエネルギーを差し向けた人だけがノウハウを蓄積することになります。このためスポーツや学問に打ちこんでいたような人は、それがために男女交際に関しては最低限の蓄積すら経験できないかもしれず、大人になって恋愛や結婚を考え始めた頃になって困り果てる、という事が起こりやすいのです。

まあ、スポーツや学問に一生懸命に打ちこむことが、思春期のあり方として間違っているとは私には思えませんし、必須科目的に「男女交際を義務付ける」という事が可能なのか、もし出来るとしてやって良いのか、私にも分かりません。誰かに惚れたわけでもないのに「ノウハウ蓄積のためにとりあえず付き合う」とか「教育機関による男女交際の単位必修化」とかいうのは、個人の自由に関わるきわめてデリケートな問題を孕んでいるため、あまりに極端な方策は危険にも思えます。

とはいえ、男女交際のノウハウ蓄積が完全に個人の自由選択で、しかもノウハウ蓄積を欠いたまま歳を取った男女が〝年齢不相応〟とみなされ除外されるような現在の配偶システムのままでは、結婚適齢期の頃になってパートナーと望ましい関係を構築できない人が出てくるのは当然でしょうし、恋愛に背を向ける男女や、すぐに破綻する結婚が増えるのも仕方ないように思えます。

5 なぜ「惚れたい」でなく「モテたい」なのか

もっとも、男女交際のノウハウ蓄積と言っても、「モテるためのテクニック」みたいなものばかり熟達するのも考えものです。

思春期を迎えた多くの男女は、少なくともその最初の時点では男女交際について悩み始めます。そこのところは今も昔も変わらないのですが、メディア上の恋愛相談の内容を見聞きしていると、最近、相談内容が変わってきているような印象を受けます。

昔の恋愛相談には「こういう人が好きになったんだけど、付き合うにはどうすればいいですか」的な相談が多く、ああ質問者は誰かに惚れてるんですねと伝わってきたのに対して、最近の恋愛相談には「彼／彼女が欲しい」「モテるにはどうしたらいいですか」的な、質問者が誰に惚れているのか伝わって来ない相談をよく見かけます。

本来、恋が始まるからには、誰かを好きになって、その誰かに対して（不出来不完全といえども）自分自身が関わって良好な関係を構築していきたい、という願いがあるものです。そこまで丁寧でなくても、「この女（男）が欲しい」という、その異性に拘っている自覚が多少なりともありそうなものですが、今風の「彼／彼女が欲しい」や「モテたい」には、これが無いのです。

そこにあるのは、「異性に好かれる自分になりたい」「異性に認められる自分になりたい」といった、異性を介して自惚れたい願望だけです。ですから前述の質問を翻訳するなら「私はもっと私自身に自惚れたいので、異性に好かれる私になりたいです。どうすればいいですか」といったところでしょうか。このような人にとっての異性とは、自惚れるためのアクセサリや勲章としての異性ということでしょうから、自惚れさせてくれるなら誰であっても構わないのでしょう。ただ、どうせ自惚れるなら、誰もが羨むような〝市場価格の高い異性〟のほうが望ましいでしょうし、途中で自惚れを妨げるようなコントロール不能な異性であるよりは、従順であったり、コントロール可能であったりするほうが望ましいでしょう。そういった選り好みはあるかもしれません。

いずれにせよ、「（誰でもいいから）モテたい」は「（誰かに）惚れる」とは対照的な気持ちです。

自惚れがリスクテイクを阻む

スタンダールは『恋愛論』のなかで「恋とは甘い花のようなものである。それを摘むには恐ろしい断崖の端まで行く勇気が無ければならない」と書いていますが、実際、ひとたび意中の異性に惚れ込んだ男女は、その思いを果たすためにはリスクテイクしないわけにはいきません（片思いは、自分が受け容れられずに傷つくかもしれないという恐れと、それでも意中の人と仲良くなりたいという気持ちとがせめぎ合って崖の手前でウロウロしているような状態でしょうか）。

しかし、「モテたい」人はまだ誰も好きになっていませんし、異性が欲しいのもあくまで自惚れを充たすためですから、自分が崖から落ちて怪我をするようなリスクテイクが出来ません。もし恋が始まるとしても、そのリスクテイクなり、なれそめの手間暇なりはまず異性の側が支払うべきで、自惚れが折れてしまうような事態は絶対避けなければならないのです。

まとめると、自分が傷ついても構わないから誰かを好きになりたいのが「惚れる」であり、自分が傷つくのは絶対駄目で誰かに好かれたいのが「モテたい」となるでしょうか。

「惚れる」時代から「モテたい」の時代へ。「好きになる」時代から「好かれたい」の時代へ。

自分は自惚れが折れるのを回避しつつ、白馬に乗った王子様（お姫様）にはリスクテイクして貰いたいと願望する人が、まともに恋愛できるものでしょうか？　あるいは結婚したとして、円満な配偶関係を継続できるものでしょうか？　相手を愛したい・喜んで貰いたいという気持ちをお互いに持っていてさえ、男女の仲はときに解けてしまうものなのに、そうした気持ちを一方が欠いているような男女関係がマトモに長続きするとは思えません。

「モテる」に貢献するようなコミュニケーション技能を磨くのも大切ですが、「モテたい」ばかりで「惚れたい」が欠落したままというのも、それはそれで幸福な男女関係には遠いように私には思えます。しかし、「惚れない」こと自体が問題だと意識する人は、今日日、あまりいないようです。

6 「ダメな俺を受け容れてくれ症候群」

とはいえ、そんな傷つきたくない自分大好きっ子な人でも、「これは脈有りかも」と思えた時には、傷つかないように傷つかないようにと臆病な食指を異性に伸ばすことがあります。ここでは、そうした臆病な恋愛の一パターンを紹介してみましょう。いうなれば、「ダメな俺を受け容れてくれ症候群」です。インターネット上に、そのものズバリの描写があるので引用してみましょう。お互いにちょっと関心を持ち合っている30代の男女が、レストランで食事をしている場面です。

するとと彼は食事の間中、俺はこれまでの人生でこんなダメなことがあって、人と上手く付き合えなくって、オタクで収入も少ない的なことを延々と私に話し出したのである。何なのだこれは。私は彼から「こんな俺どうですか?」とプレゼンテーションを受けている立場ではなかったのだろうか。何故、営業マンから欠陥点ばかりを聞かされなければならないのだろうか。別に取り繕えと言っているわけではない。せめて彼といることで何か楽しいことが起きそうな、安らげそうなプラス面を見せて欲しかった。恋人がマイナス面を見せても受け止められるのは、まず先に「好きだ」という感情があってのことだ。ヘタレが好きなのは2次元限定である。以降の彼との食事は、全くもって楽しくなくなってしまった。

（「ダメな俺を受け容れてくれ症候群」http://anond.hatelabo.jp/20080825123643より抜粋）

好意を抱いている女性に、自分の欠点や駄目な所を延々とプレゼンテーションするこの男性の行動は、普通の恋愛感覚からすれば異常です。ですが、非合理的・非効果的にみえるこのような振る舞いにも、自分自身の心理的な傷つきを回避しながら、自分自身の承認欲求を充たす機会は捨てずに狙い続けるしたたかさが含まれています。具体的には、

①ダメな自分をありったけ曝け出すことによって、拒否された時の痛みを減弱

もし、正攻法で自分の長所をセールスしたり、面白い話をしようと最善を尽くして、それでも振られてしまったら、もう自分に言い訳ができません。「精一杯がんばっても駄目だった俺」を真正面から受け入れるしかなくなってしまいます。しかし、ダメ語りを徹底したうえで異性に拒否されるぶんには「あれだけダメ語りしたんだから、受け入れられなくても当然」という言い訳の余地が自分自身に残ります。異性との交際可能性を多少犠牲にしてでも、自分が拒否された時の痛みを減弱したい、せずにはいられないという人にとって、ダメ語りの心理的鎮痛効果は、メリットとして無視できないものだと思われます。

②だけど、もしも上手くいったら丸ごと承認してもらおうという魂胆

しかも、万が一にダメ語りに対しても異性がＯＫのサインを出した場合、男性側は「ありのままの俺を隅から隅まで受け入れてもらう」言質を確認できるという点で、正攻法の交際とは異なって

います。正攻法で交際に入った場合、（交際の進行に伴ってお互いの短所も少しずつ許容しあっていくにせよ）基本的には、相手を喜ばせたり楽しませたりすることを言外に引き受けながら交際が進んでいきますが、このやり方の場合、まず俺のダメなところも全部引き受けて下さいという丸投げを認めさせてからの交際になるのです。

このスタート時点の違いは、小さな違いのように見えて、交際が始まった後の男女関係に大きく影響します。「俺があなたの王子様を目指そう」という引き受けをせず、「あなたが俺のママを目指してください」という依頼心を相手に認めさせてから交際するのですから、自分の欠点を治す気は無いし異性の欠点を許容する気も無い、あなたが全部俺に合わせてやってくれ、ということです。ダメな俺を全て認めたうえで亭主関白をやらせてくれと言っているようなもので、かなり傲慢な要求です。もちろん、こんな要求に頷く異性なんてそうそういませんから、この目論見は大抵失敗しますが、失敗したところで、①のお陰でグッサリ傷つくダメージは最小化されるので問題ありません。

③誠意という名の免罪符

加えて、このようなダメ自分語りをやることで、「誠心誠意、隠し事をしないでありのままの自分を曝け出している俺」「嘘をつかない良い子の俺」という勘違い免罪符が手に入ります。その内実が、自分の傷つきを回避し、交際の方向性を操作しようというさもしい欲求に基づいた振る舞いであろうとも、この「俺は正直」という概念に夢中になっていれば、ダメ語りを自己正当化することが可能です。ですから、傍目から見て自分本位さが露骨に見えるダメ語りでも、案外本人は良心を痛めることなく、むしろ自分は堂々とした恋愛をしていると思っていることさえあります。そもそも、「ありのままの自分をすべて語る＝誠意である」という思い込みそのものが子どもじみているのですが、誠意をダメ語りの免罪符に使うような人物においては、そのようなズレは意外なほど認識されにくいのです。

④自分語りの快感

人間は、自分自身の話を誰かに聞いてもらうのが快く感じられるものです。自慢話も快感ですが、短所や罪科を告白してまともに話を聞いて貰えるとしたら、これも嬉しいものです。そのうえ万が一にも「そんな坊やでも、あたしは見捨てません」的な肯定のまなざしの一つでも返ってくれば、天にも昇る心境になれるでしょう。

この①②③④のように、「駄目な俺を丸ごと受け容れてくれ症候群」には、交際にこぎつける可能性では劣るにせよ、自分が傷つきたくないという事を優先させる点では多くのメリットがあります。ある意味、これはこれで非常に洗練された身振りですし、傷つきたくない自分大好きっ子にとって最善のやり方でしょう。

とはいうものの、これらのメリットは、あくまでダメ語りする側の心理的メリットばかりですし、それを聞かされる異性側にはなんらメリットはありません。ダメ語りは、自分さえ良ければ異性の快不快は忖度しない、デリケートな自分の心が傷つかない安全圏からことを進めたいという自己中心的な視点から見て合理的・合目的的なのであって、異性を楽しませたいとか幸せにしたいとかいった願いとは対極の態度です。

7 クレクレ婚活なんてやめちまえ

「駄目な俺を受け容れてくれ症候群」に相通ずるような自分本位性は、婚活の場面でもまま見られます。〝婚活〟がうまくいかない男女には、大抵、それ相応の理由や原因があるものですが、数ある原因のひとつとして「世話してもらいたい」「幸せにしてもらいたい」ばかりが過剰に先行してしまっているケースがあります。

なんのために〝婚活〟するのか？　もちろん第一には自分自身のためでしょう。そのために自分磨きをして、出会いの場を求めて、異性に対する要求水準を下げて……そうやって努力していれば、少なくとも「めんどくさい」に終始している人よりは縁談成立の確率は高くなりそう……にみえます。

ただ、こうした体裁をいくら整えてみたところで、「世話されたい」「幸せにしてもらいたい」といった受動的な心根が透けてみえるようでは、まとまる縁談もまとまりません。さきの「ダメな俺を受け容れてくれ症候群」を見た女性が白けてしまったように、「私を愛して欲しい」という自分の欲求にばかり想像力豊かで、パートナーをどう幸せにするのか、どう愛していくのかには想像力が働かないような人は、それを読み取られてしまうものです。およそまともな異性なら、「こいつ、自分のことしか考えてなさそうだゾ！」と勘付いて、離れていってしまうでしょう。

「愛されたい」「世話されたい」「こんなパートナーが欲しい」ばかりに敏感で、「愛したい」「世話したい」「パートナーにこれを提供したい」に鈍感な婚活なんてものは、いわば〝クレクレ婚活〟とでも言うべきものであって、婚活そのものにどれだけ積極的な姿勢でも、心のなかで期待しているのは親鳥と雛鳥のような関係でしかありません。巣で口を開けて待っていれば幸せを放り込んでくれる親鳥のような異性に出会うための〝婚活〟というわけです。

もちろん、「世話されたい」「愛されたい」という思いは誰にだって幾らかあるでしょうし、パートナーにそれを求めること自体が間違っていると言いたいわけではありません。ただ、「世話したい／世話されたい」「愛したい／愛されたい」のバランスが一方の極へと偏っているようでは、まともな夫婦関係を築き上げられるとは思えないのです。世話されたなら同じぐらい世話をし、愛されたいなら同じぐらい愛する――そうすることで、夫婦間の受動性と積極性とのバランスが拮抗し、お互いに助けあってはじめてまともな関係が長続きするのではないでしょうか。

パートナーを通じた自己充足

もっとも、世の中には「ひたすら世話したい」「ひたすら愛したい」という反対の極に突っ走る人物も少数存在します。このタイプの人物は、自分の年齢よりも遥かに年下の、〝クレクレ婚活〟という言葉がよく似合うような異性をこそ、むしろ結婚対象として選びたがります。親鳥―雛鳥のような結婚関係もすすんで引き受け、「世話をしたい」「幸せにしてあげたい」という姿勢がやたら目立つので、受動的なタイプの人とちょうどフィットするようにも、一見みえます。

しかし、そうしたパートナーシップが、幸せに長続きすることはあまりありません。たいていの場合、能動的に世話する側と、受動的に世話される側の双方の立場がエスカレートした挙句、関係を維持しきれなくなって分解してしまいます。というのも、よく観察すると気付くのですが、この手の過剰に世話を焼きたがる人達は、「この人を幸せにできるのは私だけ」「この人の命運は、俺が幸せにしてあげられるかどうかにかかっている」と思い込みたがっています。そして、一方的にパートナーの世話を焼くことを通して、自分自身の自信を回復していたり、ある種の全能感を充たしていたりもするのです※5。そのような自己満足に都合の良いパートナーとして雛鳥のような異性が選ばれているのであって、「相手が好きだから奉仕している」というよりは「か弱いパートナーを幸せにできる私に酔っている」という表現のほうがたいていは相応しいと言えます。

※5　こうした傾向が最も顕著にみられるのは、女性だったら「だめんず」と俗に言われる、駄目な男性の世話を積極的に買いたがる人達です。また男性の場合も、女性の命運の鍵を握っているのは自分だけだと思い上がるタイプや、女性に「僕が頭を良くしてあげるよ」的な振る舞いをして得意満面になっているようなタイプがよくみられます。

ですから、表面的には巧い組み合わせのようにみえて、親鳥―雛鳥の関係は、弱点を補いあっている関係というよりはお互いの自分本位な願望がたまたま利害一致している関係、というべきものです。だからこそ、この手の関係はお互いの利害が一致しなくなると急速に冷めて崩壊していきます。

以上を踏まえるなら、「世話されたい」「愛されたい」に偏りすぎている人や、「世話したい」「愛したい」に偏りすぎている人は、遮二無二婚活する前に、自分の胸に手をあてて考え直したほうが良いかもしれません。どちらの場合であれ、パートナーの幸福ではなくパートナーを介して自分自身の願望だけを見ていたい人が結婚したところで、その結婚を発展的なパートナーシップに育てていけるかどうかはかなり怪しいですから。

8 あなたは誰かを幸せにしたいと願ったことはありますか？

ここまでを振り返ると、現代の男女関係の最大の問題は、「私が愛されたい」「私を幸せにして欲しい」という受動的な欲求ばかりを男も女も抱え過ぎている、ということに尽きると思います。自分が傷つくリスクを冒してでも、この人の幸せに何か自分に出来ることが無いかと思い悩んでみるような、そういう瞬間が、男女双方あまりに少ないのではないでしょうか。

その一方で巷では、婚活必勝法だの、モテる女子力を磨く為のナントカだの、小手先のテクニックが耳目を集めています。どこもかしこも「いい男（いい女）をゲットするためのｈｏｗ ｔｏ」

ばかり――自分を幸せにしてくれる白馬の王子様やお姫様に出会ったら、後は幸福が待っているとでもいうのでしょうか？

「あなたは誰かを幸せにしたいと願ったことはありますか？」――先に問われるべきは、こちらだと思います。

恋愛にしても、結婚にしても、異性に幸せにしてもらうものではありません。お互いに助け合って、お互いに相手を幸せにしたいという気持ちがなければ、どんなに良い異性に出会っても幸せは長続きしませんし、相手に愛想を尽かされるか、相手が疲れてしまいます。にもかかわらず、ある種の算盤勘定もたくましく、「イケメンが欲しい」だの「かわいい彼女が欲しい」だの、異性を〝釣る〟ことばかり考えて、〝釣った後にどうするのか〟〝自分自身は何をやるのか〟をまじめに考えていない人が、婚活している人にも結構いるんじゃないでしょうか。

しかし本来、恋愛や結婚は、ゴールではなくスタートです。本当に肝心なのは〝異性を釣るまで〟よりも〝異性を釣った後〟のほうです。そして、共同生活が始まった後の幸不幸を分かつのは、「相手の異性がどんな人で何をしてくれるのか」と同じかそれ以上に、「あなたがどんな人で何をしてあげられるのか」です。

にもかかわらず、メディアが婚活に触れる際には、「異性を幸せにしたい気持ち」「誰かと幸福を一緒に作っていこうという気持ち」はあまり言及されません。ほとんど無視されていると言ってもいいのではないでしょうか。これほど恋愛や結婚にとってクリティカルなエッセンスにもかかわらず、「相手を幸せにしたい気持ち」ではなく、〝異性を釣る〟テクニックにばかりスポットライトが当たるのは、本来物凄く偏った事であり、そのことを誰も不思議に思わない世の中も、物凄く偏っているのかもしれません。

そして何度か触れてきたように、「相手を幸せにしたい気持ち」の欠如は、バレる人にはすぐバレます。「この人は幸せにしてもらうのを、待ってるだけの人なんだ」「自分の幸せ以外、なにも眼中にない人なんだ」と。

身振り・仕草・言葉運びからこの兆候を読み取れるぐらいにコミュニケーション能力を持った異性は、こうした兆候を読み取ると、速やかにフェードアウトしてしまいます。無理も無いことです、相手を幸福にしようという気持ちが欠如し、いずれ「私が幸せになれないのはお前のせいだ」などと言い始めかねない人と付き合いたい人なんて、そうザラにいるものじゃありません。ですから幸せにしたい気持ちが欠如している人は、ただそれだけで、出会いのチャンスを遠ざけまくっていると言えます。本人も気づかぬうちに※6。

※6　ただし、これには例外があります。「相手を幸せにしたい気持ち」が欠如している者同士の場合、相手のそうした欠如に気づきにくいようなのです。自分のことしか考えていない者同士の場合、〝相手のことを見つめているウエイト〟より、〝異性と交際している自分自身に自惚れるウエイト〟のほうが大きいせいで、そうした兆候を見逃してしまうのかもしれません。かくして、世にも不思議な「相手を幸せにしたい気持ち」がお互いに欠如したカップルが出来上がることがあるわけですが、こうした自惚れあっているだけのカップルが長続きすることはありません。お互いに「あいつのせいで不幸になった」と恨みあうような破局を迎えるのが関の山です。

ここまでを踏まえるなら、婚活に際しては、自分磨きやらコミュニケーションのテクニックやらを身につけるのと同時に、「相手を幸せにしたい気持ち」「相手を楽しませたい気持ち」を自分のなかに育んだほうがいいのではないか、ということになります。そして、〝私は自分の事しか考えられない人間です〟というオーラを放って気付かない婚活から、「相手を幸せにしたい気持ち」を模索している雰囲気での婚活に変わること自体が、異性がフェードアウトしていく可能性を低くする意味においても、ひとつの婚活ノウハウに数えられるのではないかと思います。

ちょっとした親切の積み重ねが効いてくる

では、どこでどうやって「誰かを幸せにしたい気持ち」を育めばいいのでしょうか？

「誰かを幸せにしたい気持ち」の実践の場は、幾らでもあると思います。別に異性が相手である必要も、恋愛関係である必要もありません。職場の同僚、学校のクラスメート、自分が所属しているサークルの仲間達……。日頃、自分がポジティブな気持ちで接している人や、世話になっていると感じている人との日々のやりとりのなかで、「相手を幸せにしたい気持ち」の種が育つのだと思います。「君の幸福を全部僕が引き受けるよ」「あなたを絶対に幸せにします」みたいな大仰なものである必要はありません。ちょっとだけ気持ち良く働けるように言葉を選んでみようとか、ちょっとだけ親切を実践しようとか……その程度のレベルのほうがウソくさくありません。

相手を幸せにしたいというのは祈りのようなもので、必ず相手を幸せにするものでも、義務として行うものでも、必ず相手に届くものでもないでしょう。けれども、その祈りや願いの有無が、人間同士の関係になにかしら影を落とすとも思うのです。

この実践を、「たいしたことじゃない」と感じるか「大変なことだ」と感じるかは人それぞれでしょうけど、こうした「好きな人をちょっとだけ楽しませたり喜ばせたりしたい」願いを積んでいる人と積んでない人の違いは、何年もかけて蓄積していき、いざ恋愛、いざ婚活というときにニュッと首をもたげることでしょう。そればかりでなく、普段のコミュニケーションや人間関係全般にも、広く薄く影響し続けることになります。無視して通り過ぎるわけにはいきません。

もちろん、なんでもかんでも「自分の心持ち次第」と言ってしまうのも危険ですし、人を幸せにするためには（コミュニケーションのノウハウを含めて）先立つものが必要にもなるでしょう。だとしても、「誰かを幸せにしたい気持ち」の欠如から目を背けすぎていれば、出会いも、出会った後の関係も、なかなか膨らまないのではないかと思います。

自分の幸せしか考えたことの無い人は、小手先ばかりの婚活テクニックやモテ術を暗記している場合じゃありませんよ？

9 「異性への要求水準を下げる」よりも大切なこと

また、婚活絡みのアドバイスにありがちな、「男性に高すぎる収入を求めてはいけない」とか

「女性にルックスを求めすぎてはいけない」といった、「異性に求めすぎてはいけない」あるいは「要求水準を下げる」というあのアドバイスも、微妙にズレていると思います。

「要求水準を下げる」って、なんだかネガティブで難しい割には報いが少ないような気がしませんか？　「要求水準を下げる」というと聞こえは良いですが、要は「ただ我慢しろ」って事ですから。アドバイスする側にとって、我慢を説くのは簡単ですが、アドバイスされる側にとっては、我慢と妥協の気持ちを抱えながら何十年も結婚生活していたら、だんだん心が暗くなってしまいそうです。

確かに、「要求水準を下げる」しかない人もいるかもしれません。あらゆる点で完璧な異性を求めてやまないような人などは、そのままじゃ結婚なんてとても無理です。しかし世の中の「〝いわゆる〟要求水準の高い人」は、あらゆる点で完璧な異性を求めているというよりは、特定の評価尺度に偏った形で、異性にハイスペックを求めているように見えます。〝女性のルックスに拘る男性〟〝男性の年収に拘る女性〟とか、そういった具合にです。

しかし、こうした一つか二つの尺度で人間を評価してしまうと、その尺度で上位の異性だけがパートナー候補になって、そうでない異性は全部アウトということになってしまいます。わざわざストライクゾーンを狭くしているようなものです。

実際には、人間の良いところは多種多様です。「収入が少ない男性」と一言で言っても、節約や自炊の上手い男性、お金をぜんぜん使わない男性もいるわけで、このような男性の場合、見かけ上の収入の少なさをある程度補っていると言えます。逆に、お金にだらしない男性や浮気性の男性などは、いくら高収入でも大変です。

同じく、女性もルックスがすべてというわけでもありません。第一、ルックスなんて年齢とともに変化していくものです。もし男性が、20代前半の女性のルックスをパートナー選択の基準にしていたら、パートナーが加齢していくことに耐えられるでしょうか？　歳を取ってきたら若い娘が恋しくなって、浮気や離婚に至ってしまうのではないでしょうか。

男性の収入にばかり拘っている女性は、つまり男性の財布はジロジロ見ているけれども、ほかの部分をまともに評価していないという事でしょうし、女性の顔だのおっぱいだのばかり見ている男性は、それ以外の魅力や長所をまじめに探っていないかのようです。これではまるで、パートナーと結婚するというより「財布と結婚する」「おっぱいと結婚する」みたいじゃないですか。そんな調子で異性を眺める人が、夫婦という、協力しあいながら苦楽を共にするパートナーシップを構築できるのか、私には疑問に思えてなりません。

肝っ玉、愛嬌、世話好き、料理の腕前、趣味上の共通性……異性の魅力やアドバンテージには、本当は色んな種類がある筈です。そういった多種多様な異性の魅力を無視して、やれ収入だ、やれルックスだと、少ないキーワードで「要求水準を下げる」のではなく、「異性の色んな魅力に気付いてみる」「異性への要求事項をバリエーション豊かにしてみる」ほうが、婚活中だけでなく結婚後のパートナーシップを考えるにつけても、彩りのある男女関係が見込めるのではないでしょうか。

異性観を多様化させる自己変容

そして、「異性に望むものをバリエーション豊かにしてみる」ということは、「自分が望むものをバリエーション豊かにする」と限りなくイコールです。もっと言うなら「異性を見る目を変える」ということです。例えば女性の顔とおっぱいしか見ていなかった自分から、女性の気配りとか肝っ玉とか、そういうものも評価する自分になる、ということです。

そのためには、まず自分自身の現在の男性観／女性観や人間の眺め方が全てなのか、他にも人間や幸福について見方があるか、考え直す必要があるでしょう。

ただし、いわゆる「自分を変える」ことは自分ひとりの力ではとても難しいですし、本を一冊読んだら変わるというものでもありません。実際には、「自分を変える」「新しい価値観に出会う」のは自分自身の内側からではなく、他人や環境や境遇といった、外部からもたらされることが多いので、「自分自身の価値観や人間観」を変えるのを急ぐ人は、新しい人間関係や環境に飛び込んでみるのが良いかもしれません※7。婚活を急いでいるわけでない人は、そうやって数年かけて、自分の変化を待ってからリトライするというやり方もあります。

※7　ただし、新しい人間関係や環境に飛び込むことにはストレスが伴います。メンタルに余裕の無い時に挑戦するのはやめたほうが良いように思います。

ともあれ、「異性に望むものをバリエーション豊かに変える」のは「ただ我慢する」のと同じぐらい大変そうです。だから、誰でも出来るものだとは私には思えませんし、それなりに手間も時間もかかると思います。出会いの運も必要かもしれません。しかし、そうやって異性の魅力を多様化・多角化していった先にパートナーを見つけるのは、ただ「要求水準を下げる」よりは、結婚後の満足感・パートナーのかけがえなさといった面で、ずっと良いと私は思います。第一、そのほうが異性とのおしゃべりが断然楽しくなるでしょう。少なくとも私なら、「この男の年収のために仕方なくおしゃべりしてやってる」「この退屈なデートに付き合うのは、おっぱいのためだ」とか、まっぴらごめんです。〝我慢して付き合っている空気〟も、勘のいい異性にはすぐバレますし。

そして、そういう勘の鋭い異性のほうが、渡世のパートナーとして頼り甲斐があるのはいうまでもありません。

第4章　取り扱い要注意物件としての自己愛

　ここまで現代の私達の世代にありがちな現象を書いてきましたが、「自己中心性」「自分さえ良ければ良い」は私達のメンタリティを特徴づける通奏低音になっているように思います。しかし実際には、私達の世代だけが自己中心的なのではありません。私達を取り巻く企業も、若さにしがみついて必死な年長世代も、そしておそらく私達より下の世代も、皆、他の世代・他の性別・他の立場に思いを馳せる余裕の無いまま、自分のことに必死になっているのが現状のように思えます。

　第4章では、そんな自分のことばかり考えている私達の時代について、心理学における「自己愛」という概念を使って整理し直してみたいと思います。

　自己愛という単語からは、〝自分本位な人物〟〝偉そうなワンマン〟〝自惚れの強いナルシスト〟のような人物をイメージする人も多いかもしれません。出来ればお付き合いしたくないような、そういうネガティブな印象が「自己愛」という言葉には付きまとっています。

　けれども、自己愛って、あってはいけないものでしょうか？

　たしかに、自分の自惚れや心の傷つきばかり考えてやまないような人は、社会適応の幅がすっかり狭くなってしまい、ともすればジリ貧な人生に陥ってしまいがちかもしれません。さりとて、他人に褒められたい・自分を称賛して欲しいといった欲求は、誰にでも少しぐらいあるのも事実ではないでしょうか。〝我が身かわいさ〟を完全に捨てて、マザーテレサのようになれる人は滅多にいるものではありません。そして、褒められたい・認められたいといった気持ちのお陰で踏ん張れる瞬間も、私達にはある筈です。

そういう、プラスに働くこともあればマイナスに働くこともある、「自己愛」の現状と問題について、20世紀を振り返りながら検討してみたいと思います。

1 自己愛って何？——われわれを輝かせ駄目にもする怪物

ここまで私は、自己愛という言葉を無頓着に使ってきました。でも、そもそも自己愛って一体何を指し示しているのでしょうか？

心理学的な説明に入る前に、まずは辞書に載っている意味を振り返っておきましょう。『大辞林』によれば、

自己愛（ナルシシズム narcissism）とは、⑴自分の容姿に陶酔し、自分自身を性愛の対象にしようとする傾向。ギリシャ神話のナルキッソスにちなむ精神分析用語。⑵うぬぼれ。自己陶酔。

となっています。これは世間で使われる自己愛の定義とも、ほとんど違わないと思います。では〝心理学の世界でいう自己愛〟のほうは？　というと、実はもう少しニュアンスが広かったりします。

精神分析の始祖ジークムント・フロイト（Sigmund Freud,1856-1939）やその弟子達は、自己愛についての研究のなかで、「他人から褒められたり承認されたりして自惚れる」や「自己陶酔」のようなタイプだけでなく、「理想的な相手に自分自身を重ね合わせて一体感を感じる」ことでも自己愛が充たされるということに気付いていました。

「他人から賞賛や承認を集める」だけでなく「理想の対象に自分を重ね合わせて一体感を感じる」でもOK……この両方を一言でまとめると「対象との一体感が感じられたとき、自己愛は充たされる」となるでしょうか。他人に称賛された場合でも、カリスマ的な人物に心酔して近しい気持ちを抱く場合でも、そのとき、私達と対象人物との距離感はグッと縮まって感じられますし、高揚した気持ちが得られやすいという点でも共通しています。例えばライブハウスで歓声を集めているグループと客席の一体感などはこの典型で、客席から歓声や承認を与える側も、ステージの上でまなざしを集めている側も、どちらも一体感を介して自己愛を充たしているといえます。

フロイト自身は、このような「対象との一体感」を求める心性は大人になったら克服するべきと考えていたようです。でも、実際に「対象との一体感」を求める気持ちを全部捨て去ることは、お釈迦様ならともかく普通の人には難しいでしょう。

対して、人間の自己愛を専門に研究したハインツ・コフート（Heinz Kohut,1913-1981）という精神科医は、「自己愛は克服するもの」ではなく「自己愛は成熟するもの」と考えました。人間が人間である限り、「対象との一体感」を求める気持ちを捨てることは出来ないし、捨てるべきでもない――コフートはそう考えました。もちろん「対象との一体感」を求める度合いは、大人と子どもでは大きく違いますし、世間で求めて構わないとみなされる度合いも様々です。ですが、子どもには子どものレベルの、大人の場合も大人相応のレベルで「対象との一体感」が無ければ、人は心理的に参ってしまうのではないか、とコフートは考えたのです。「誰かと何らかの形で一体感を体験できていなければ、人間は心理的に参ってしまいやすい」というコフートの見方は、その後アメリカを中心に広く支持され、日本でも、精神科医の和田秀樹さんが多数の著書を出版しておられます。

この「一体感を感じている時は自己愛が充たされ、一体感が感じられないままでは自己愛が充たされずに参ってしまう」という考え方が脚光を浴びるようになったのは、1980年代になってからのことです。大半の人が大家族や地域社会といった共同体のなかで濃い付き合いに囲まれて生きていた頃には、一体感不足で参ってしまう人はあまりいなかったでしょうし、それより共同体からの強い拘束のほうが心理的な問題になりやすかったのでしょう。

しかし、大家族が核家族になり、地域社会からニュータウンへと暮らしが変わっていくうちに、私達は自由に、そして孤独になりました。ということは、それだけ一体感を感じにくい――自己愛を充たすチャンスが少ない――時代になったということです。そういう意味でも、自己愛を充たせる／充たせないを巡る心理的な問題は、現代社会特有のものと言えるでしょう。

2 自己愛を充たすための三つのパターン

では、そんな自己愛を私達は実際にどんな感じで充たしているのか？ コフート自身は、自己愛の充たし方を大きく分けて三つのパターンに分類して書き残しているので、それを紹介してみます。

①鏡映自己対象で自己愛を充たす

一つめは、他人からの称賛や反応を映し鏡として、自分自身の価値や存在意義を感じて、それで自己愛が充たされるタイプです。

・運動会や文化祭で活躍して拍手や声援を集めた時の高揚感
・ブログやツイッターでの発言が注目を集めた時の嬉しい気持ち
・子どもの頃、母親に抱きしめられて安心している時

例示した三つは、自分がベストを尽くしているという充実感以上に、拍手・声援・抱っこといった他人のリアクションを介することで、自分自身が満更じゃない、無視されていないと確認できるからこそ体験できるもので、そう確認させてくれる他人が存在しなければ体験しようがありません。

図４−１　自己愛を充たすための３つのパターン

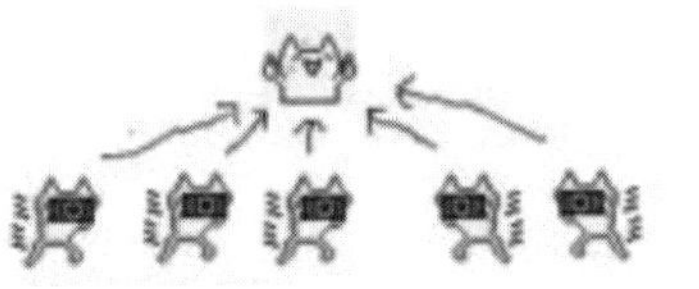

①鏡映自己対象
自分のことを見ていてくれる・承認してくれている・肯定してくれていると体験される一体感を介して、自己愛充当が成立する。世間一般でいう「ナルシシズム」はこれだけを指す事が多いが、コフート的には自己愛充当の一系統と見なされる。

②理想化自己対象
理想とみなせる対象との一体感を介しても、自己愛充当は成立する。（例：アイドルの追っかけをやっている人達）

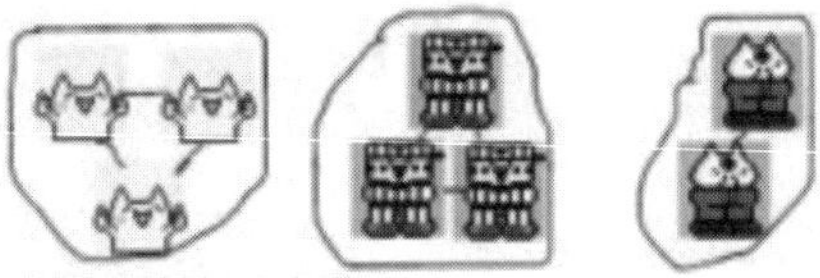

③双子自己対象
自分とよく似ていると体験される者同士の一体感を介しても、自己愛充当は成立する。（例：阪神ファン同士・同郷人同士）

「自分自身を映し出す鏡」として役立つのは、親や友達や恋人のこともあれば、親族や上司や部下のこともあるでしょう。最近なら、ホームページのアクセスカウンタや疑似恋愛ゲームのキャラクターのような、人間以外が対象になることもあります。

　とはいえ、常に拍手や声援のなかに身を置けるような人は滅多にいませんし、他人を映し鏡として露骨に利用していれば皆に嫌われてしまうでしょう。よほどの芸術家やアイドルスターでもない限り、いわゆるナルシスト的に、拍手や声援で自己愛を充たし続けるような生き方は成立しません。それよりは「職場の同僚やクラスメートからいっぱしの仲間として認めて貰える」「この仕事に関しては自分が任されている」といったような、よりマイルドで日常的なコミュニケーションのなかで、満更じゃない感をお互いに充たし合って私達は生きている、と考えるべきでしょう※1。そういったマイルドな水準で自己愛を充たしたい欲求に関しては、社会的にも割とコンセンサスが出来ているので、それを大人が求めたとしても「あいつはナルシストだ」と後ろ指を指される心配もありません。

※1　この視点から、挨拶という社会的風習について考えてみると、「私達は、お互いを挨拶するに足る人間として見做していますよ」というメッセージの交換儀式として、なかなか重要な機能を担っているように思えます。「おはようございます」や「ありがとうございます」といった挨拶を通した自己愛の充たしあいは、人間関係の潤滑油として決して無視できるものではありませんし、殆どの文化・殆どの社会において社会制度に組み込まれています。

②理想化自己対象で自己愛を充たす

二つめは、理想の対象との一体感を感じたり、理想の対象に心を寄せたりすることで自己愛が充たされるパターンです。世間的なイメージでは、自己愛だのナルシストだのというと、（自分自身に）称賛やまなざしや承認を集めたり、チヤホヤされたりするしかないとみなされがちですが、正反対に、称賛やまなざしや承認を、理想の相手に投げかけている時にも自己愛が充たされるのです。

・自分の恩師や先輩に対して尊敬を抱いていられる時
・自分の属する会社が、誇れるような偉業を成し遂げている時
・子どもの頃、父親の力強い後ろ姿に憧れを抱いている時

実際に体験したことのある人なら分かるでしょうが、自分が理想とする対象を誇りに思っている時・素晴らしいと感じている時には、案外、人の心は充たされ勇気づけられるものです。スポーツ

中継で憧れの選手の大活躍を見ているうちに（別に自分が褒められているわけでもないのに）自分自身までもが力づけられたように感じたあの感覚や、自分の上司や恩師が素晴らしい功績を挙げたことを誇らしく思う感覚なども、これに該当します。理想の人物や理想の対象が、その理想のイメージを壊さない範囲で憧れを引き受け続けてくれる限りは、実は自己愛を充たすことは結構可能だったりします※2。

※2　付け加えると、この理想化自己対象との一体感を介して、ハイレベルに自己愛を充たそうとし過ぎる人も、実はものすごいナルシストだということになります。例えばカルト宗教の教祖に心酔し、滅私奉公していて自分を省みないような人物は、①はゼロかもしれませんが、②は猛烈に充たしまくっていると言えます。

ですから、たとえ自分自身が称賛や評価を集められず、①が困難な人であっても、理想や憧れを引き受けてくれる対象に心を寄せている限りは、自己愛は充たされ得ますし、心理的に安定するという事は十分あり得ます。そして憧れの対象は、メディアの向こう側のアイドルや架空のキャラクターであることもあれば、過去の偉人、国家や地域、宗教、哲学、音楽であることもあり得ます。

③双子自己対象で自己愛を充たす

三つめは、自分によく似た対象を通して自己愛を充たすパターンです。自分自身にそっくりな人を見つけた時や、自分とたくさんの共通点を持っているような対象と共にいられると感じている時にも、自己愛って充たされるんじゃないの？　というわけです。

・入学したばかりの高校で自分と同じ境遇・趣味の仲間を見つけた時
・似たような才能と経歴を持つ者同士が、お互いが理解しやすいと感じた時
・遠い海外の街を旅している時に、同じ故郷出身の日本人と知り合った時

確かに、「ああ、この人って俺と共通じゃん」「この人のこと、私なんだか分かる気がする」のような気持ちになった時の安心感・心地よさ・心強さといったものは、①②のどちらかだけでは説明しきれない何かを含んでいるような気がします。遠く離れた異国の地で同じ方言を話す同郷人に出会った時の感覚などにも一種独特のものがあり、そのような時にはこの「自分とよく似た対象を通して自己愛を充たす」の別枠感が意識されやすいかもしれません。

また、学童期〜思春期にかけては、自分とよく似た境遇や才能を持った仲間と出会い、つるむことによって、似たもの同士による自己愛充当が成立しやすいと言えます。勉強であれ、悪戯であれ、趣味であれ、仲間同士との間で自己愛を充たし合う状態が成立していれば、仲間意識や切磋琢磨によって技能を磨きやすくもなるし、困難に耐えやすくもなります。この年頃の男女の行動には、いわゆる〝連れション〟のように、一見すると意味不明のようにみえる集団行動がみられますが、③の観点からみれば、あれも心理上は有意味で、必要な確認行為なんだということが理解できます。

逆に、思春期時代に自分に似た仲間を見つけられず、いわゆる〝ぼっち〟になってしまうと、いくら先生や書物を尊敬し、学業成績が評価されていたとしても、学生生活が息苦しくなりがちです。学童期〜思春期前半のような人生のある時期、自分によく似た誰かと自己愛を充たしあえる体験が

必要になる瞬間は確かにあるように思います。

以上が、コフートが提唱した自己愛の充たし方の3パターンです。その気になればもっと細かく分類することも可能でしょうけれど、大体はこの三つのバリエーションか、三つの組み合わせとして理解できるので、本書では3パターンとして分類していきます。

なお、日本社会では、長らく自己主張より謙遜が美徳とされていたため、①のような自己愛の充たし方は主流ではありませんでした※3。このため②や③を視野に入れて見据えなければ、日本人の自己愛の全貌は捉えられません。②や③まで含めて考えてはじめて、あまり自己愛的ではないようにみえた過去の日本人の多くが、集団的に自己愛を充たしまくりながら暮らしていた実情に気付くことができます。

※3　例：「出る杭は打たれる」

3　自己愛を充たしてくれる対象のことを「自己対象」と呼ぶ

ここで、コフートの心理学用語「自己対象」についてちょっと説明します。

前節で自己愛を充たす三つのパターンを説明した時、私は①鏡映自己対象で自己愛を充たす、②理想化自己対象で自己愛を充たす、③双子自己対象で自己愛を充たすと書きましたが、「自己対象ってなんだこれ?」と思った人もいたかと思います。

自己対象selfobjectとは、要は、自己愛を充たしてくれる対象のことです。

①であれば、相手が映し鏡になっているから「鏡映自己対象」と呼び、②の場合は、相手を理想とみなしているから「理想化自己対象」と呼びます。③だったら、そっくりさんとみなしているから「双子自己対象」と呼ぶわけです。この自己対象を、①鏡映であれ、②理想であれ、③双子であれ、まるで自分自身の一部や、自分自身と地続きの存在であるかのように体験できている最中には、私達の自己愛はグンと充たされますし、充たされているうちは心の均衡を維持しやすく物事にも安心して取り組めるようにもなります。

三つのどのパターンであれ、とにかく自己愛を充たすにはなにかしら自己対象として体験できるような対象が必要で、完全な一人ぼっちでは自己愛の充たしようがない、という事は覚えておいてください。

おさらいも兼ねて、ここで、自己愛の充たし方3パターンそれぞれごとの自己対象の具体例を挙げておきます。

①鏡映自己対象——他人を映し鏡にして自己愛を充たす際の自己対象

・赤ちゃんだった頃、ハイハイしている時に、喜ばしげにまなざしてくれた母親
・運動会や発表会で頑張っている時の拍手や声援、称賛、敢闘の拍手など

・いっぱしの仲間として認めてくれている友人グループのメンバー
・キャバクラに通い詰めている男性を、チヤホヤしているホステス

この四つは、鏡映自己対象として想像しやすいものだと思います。ただし、以下の2例のように、一見するとマイナスにしかならないようにみえるものが、自己対象に恵まれていない人にとっては「無いよりはマシ」「木の根をかじるような鏡映自己対象」として機能することがあります。

・構って欲しい暴走族に対して集まる、道行く人達の否定的なまなざし
・「2ちゃんねる」のスレッドを荒らすしか能の無い粘着書き込みに対する、非難や罵倒の反応

また、人間以外の対象が、鏡映自己対象として機能することもあり得ます。励ましてくれるキャラクターコンテンツや、自分自身の素晴らしさ・センス・価値を証明してくれるような商品も、ここに含めることができます。

・褒めたり励ましたりしてくれる美少年/美少女キャラクター
・「センスのいい人しか持っていない」という触れ込みの限定アイテム
・ホームページのアクセスカウンタ、フェイスブックの「いいね!」、FC2ブログの「拍手」

②理想化自己対象――理想の対象を通して自己愛を充たす際の自己対象

・模範にしたいと思えるような先生やコーチ
・リーダーとして認めることのできる上司

・信仰している宗教の、信頼できる聖職者

この三つのように、何かを授けてくれる人が「この人は一目置ける」と感じられる際には、自己愛が充たされて心の均衡も保ちやすくなります。これがために、まだ無名の弟子がひたすら下積みをしている時でも師の仕事や技能に尊敬を抱いていれば意外と自己愛が充たされやすく、心の均衡を失わずにがんばれる、という事が起こり得ます。そして、そうやって師を尊敬しているほうが、師を軽蔑しているよりは熱心に学ぶことができますから、技能習得の触媒になるという意味でも理想化自己対象は重要です。

逆に言うと、師やインストラクターや先輩の欠点をあげつらっては見下して回るような人は理想化自己対象を持てず、師を通して自己愛を充たすことも、師から熱心に学ぶことも出来ないということになります。

個人主義の名のもと、近年は、①ばかりが注目されるせいか、②が上手ではない人が増えているように見えます。その欠乏を埋めるかのように、テレビや漫画やゲームといったメディアの向こう側には、欠点が少なく美点のくっきりした、過剰なまでの理想化自己対象が登場し、〝商品としてパッケージ化され、販売されて〟います。

・理想のミュージシャンやタレント
・世界レベルで活躍するスポーツ選手
・フィクション作品に出てくるヒーローやヒロイン

また、過去の立派な作品や大事業、学問体系や宗教体系といった、人間以外の対象が理想化自己対象とされることも珍しくありません。素晴らしい音楽に導かれて楽器の練習に励む、特定の学問分野への畏敬の念が向学心に繋がる、といったことも起こり得ます。

・素晴らしい芸術作品や音楽作品
・スペースシャトル打ち上げや新幹線のような大プロジェクト
・特定の学術大系や書籍、哲学、宗教など

③双子自己対象——自分に似た対象を通して自己愛を充たす際の自己対象

・価値観や素養が近いと感じられる者同士
・非常に似たような境遇を抱えていると感じられる相手（現実、フィクション問わず）
・同じ作品や同じジャンルを楽しんでいる者同士
・故郷から遠く離れた職場で出会った、同じ出身高校の同僚

価値観や趣味を共にする仲間のメンバー同士が、お互い一体感を体験しあいながらグループ的に自己愛を充たしあっているという現象は、特に小学生～大学生ぐらいの年頃では珍しくないものだと思います。これが上手く働くと、単に自己愛を充たし合うだけでなく、一人では達成出来ない事を皆で達成したり、仲間内での切磋琢磨が起こることもあります。また、こうした相互保障的な自己愛の充たしあいは、同じ制服を着たり、同じ携帯ストラップを所有したり、同じ溜まり場に集

まったりすることによって効果がいっそう高められることもあります。

こうやって見てまわると、私達の身の回りの人物、愛している物品、メディアコンテンツといったものは、反発や失望しか感じないようなひどい対象でない限り、多かれ少なかれ自己対象という言葉に該当し、自己愛を充たしてくれていると考えられます。

自己対象としての性質は、「鏡映自己対象」「理想化自己対象」「双子自己対象」それぞれに異なりますし、ときには一人の人物が、ある時は理想化自己対象として、また別の時には双子自己対象として体験されるような事もあるでしょう。そういったバリエーションはあるにせよ、お互いを自己対象として体験しあい、自己愛を充たしあいながら生きているのが私達だと思います。自然物や人形にも魂が宿ったように感じられる八百万《やおよろず》の国・日本においては、こうしたコフートの自己対象という考え方は、特によくフィットすると私は思います。

4　20世紀の自己愛——集団・地域・企業単位の自己愛充当

以上を踏まえて、ここからは20世紀〜21世紀の日本人が実際にどうやって自己愛を充たしていたのか、その傾向について紹介します。

20世紀の自己愛の充たし方の特徴は、21世紀のそれに比べると集団的な点です。地域社会、大家族、日本企業といった集団との一体感を介して自己愛を充たす形式が大きなウエイトを占め、個人主義的に、あるいは自分一人に称賛やアテンションを集めて自己愛を充たす形式は、社会的に望ましいものと見做されていませんでした。先の分類でいくなら［②理想の対象を通して自己愛を充たす」、［③自分に似た対象を通して自己愛を充たす」ための社会的なコンセンサスは過剰なほどでしたが、［①他人を映し鏡にして自己愛を充たす」についての周囲からの認証は現代に比べて過小だった、という感じです。

例えばニュータウン化する以前の地域社会は、昔の農村などが典型ですが、仕事（水利の管理など）や生活（冠婚葬祭など）の多くの領域は村人が力を合わせ利害調整して行わなければなりませんでした。その必要性の結果として、地域社会は、良い意味では皆が一体感を共有できるような、悪い意味ではメンバー全員に拘束感が生じるような性格を帯びがちで、「皆と同じでなければならない」「出る杭は打たれる」的な価値観は今でも日本人を特徴づけるものとして語られがちです。こうした地域社会に適応している大人達にとって心理的な問題となるのは、一体感の不足ではなくむしろ一体感の過剰であり、さらに言えば〝しがらみ〟〝拘束力〟のほうでした。

この地域社会の〝しがらみ〟〝拘束力〟は、そこに暮らす大人達と、これから大人になっていく思春期の青少年にとって明らかに厄介なものでしたし、それが窮屈すぎれば子どもの価値観形成を縛る可能性もありました。しかし、地元の子ども達が両親以外にも一体感や親近感を感じやすい〝近所の人〟に囲まれて育つことができたという点、現役を退いたお年寄りも死ぬまで一体感に包

左：岸和田だんじり祭り。右：諏訪御柱大祭

まれていられたという点では、地域社会は幅広い世代の自己愛を充たすのに向いていたとは言えます。そして、実際には地域社会には盆や彼岸をはじめとする祭事がありましたから、「死ぬまで一体感」というのは不正確で、「死んでからも一体感」であり、もっといえば、地元の神々や大自然とも一体感を維持したまま人は生まれ、暮らし、死んでいくのが常でした。

現在でも、岸和田だんじり祭り、京都の祇園祭り、諏訪の御柱祭りなどには、そうした地域の住民同士・地元の神々との間で一体感を束ねる機能の名残を見ることが出来ます。

「隔絶核家族」

また、高度成長期以後、地域社会とともに姿を消したのが、大家族です。戦後間もない時代までは、きょうだいが4人以上の家庭も珍しくありませんでしたが、少産少子の進行した昭和40年代以降、大所帯のきょうだいは急速に減少していきました。シングルマザーが増えたことも手伝って、平均世帯人員数は、昭和28年の5・0から、平成18年には2・65まで低下していま

図4－2　世帯数と平均世帯人員の推移

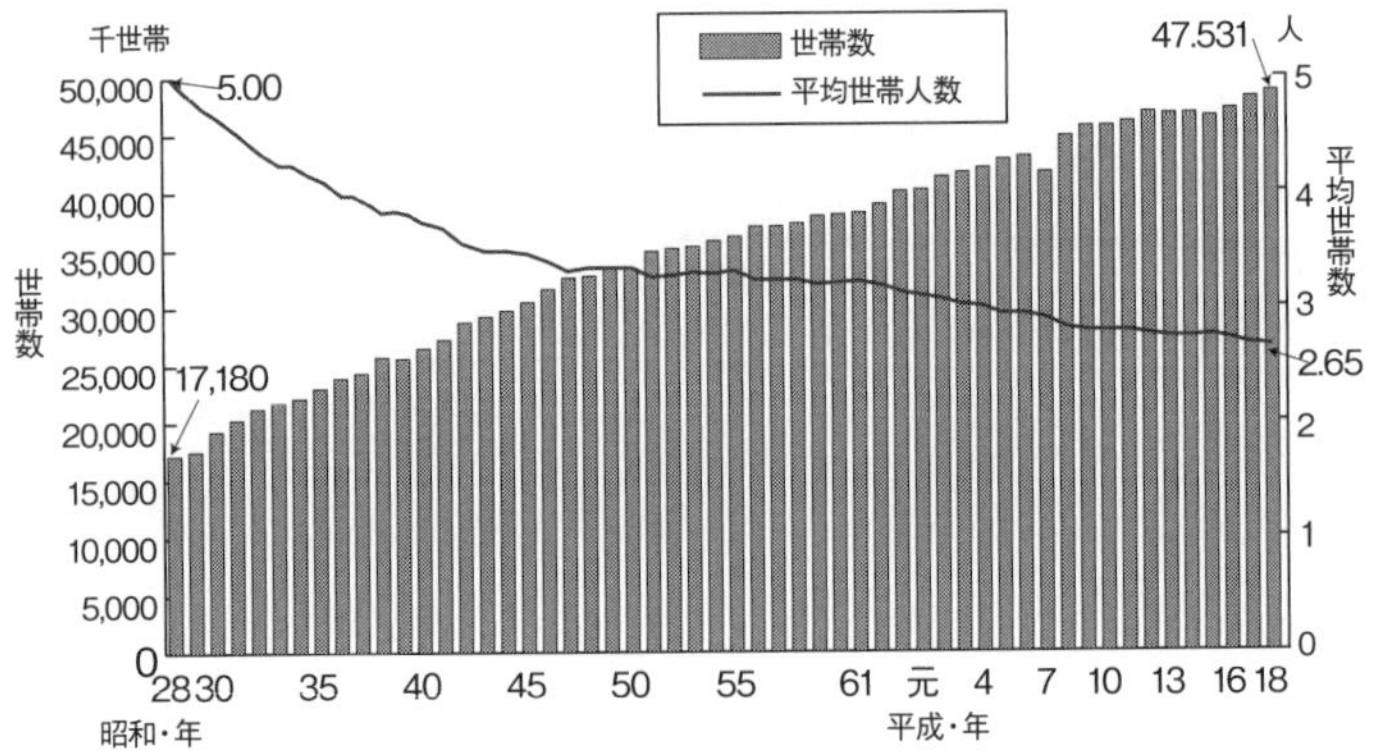

（注）平成7年の数値は、兵庫県を除いたものである。
（出典）厚生労働省 平成18年国民生活基礎調査

す。

　余談ですが、いわゆる〝核家族化〟は、高度成長期以後に起こった現象ではありません。総務省「国勢調査」によれば、実は1920年の段階で世帯の54％が核家族で占められていました。そして昭和40年にピークを迎えた核家族というユニットは、最近は単身世帯の増加もあってむしろ減少しています。ここで重要なのは、核家族は核家族でも、親族や血族から遠く離れた場所に暮らす核家族が本格的に増えたのが高度成長期以降だった、ということです。総務省「住民基本台帳人口移動報告」によれば、都道府県間の人的移動は昭和40～50年ごろにピークを迎えており、もちろんこのような人的移動の多くは、地方から大都市圏近郊への流入で占められていました。

　親族の居住地に近い核家族同士なら、核家族ではあっても一族としての緩やかなまとまりを維持しま

郵 便 は が き

料金受取人払郵便

神田支店
承認

5360

差出有効期間
平成26年 8 月
31日まで

101－8791

507

東京都千代田区西神田
2-5-11出版輸送ビル2F

㈱花　伝　社 行

お名前《ふりがな》　　お電話	
ご住所（〒　　　　） （送り先）	

◎新しい読者をご紹介ください。

お名前《ふりがな》　　お電話	
ご住所（〒　　　　） （送り先）	

愛読者カード

このたびは小社の本をお買い上げ頂き、ありがとうございます。今後の企画の参考とさせて頂きますのでお手数ですが、ご記入の上お送り下さい。

書 名

本書についてのご感想をお聞かせ下さい。また、今後の出版物についてのご意見などを、お寄せ下さい。

◎購読注文書◎

ご注文日　　　年　　月　　日

書　　名	冊　数

代金は本の発送の際、振替用紙を同封いたしますので、それでお支払い下さい。（2冊以上送料無料）

なおご注文は　FAX　03-3239-8272　または
メール　kadensha@muf.biglobe.ne.jp
でも受け付けております。

すし、お互いの拘束力もさほど強くなりすぎなくてちょうど良い案配かもしれませんが、ニュータウンにありがちな核家族のように、他の親族から隔絶しすぎてしまう場合、そうした程よい一体感は得られません。遠い土地に離れて別々に独立した親やきょうだいは、よほど意識しない限りは大家族ではなく〝遠くの親戚〟になってしまい、もはや互いに一体感を感じられる存在ではなくなってしまいます。

しかも、大人のようには居住地を自由に変えられない子どもの立場から見れば、このような隔絶核家族とは、「親に何かあったら代わりが効かない」ということを意味します。もし親が親としての機能を果たせなくなった場合、助けになりそうな親族が近くにいない以上、そのしわ寄せは経済的にも心理的にも子どもがダイレクトに蒙ることにもなります。そしてニュータウンの暮らしがニュータウンの暮らしである以上、子どもの遊びや子育てを他の大人に任せっきりというわけにもいきません。また第2章で触れたように、一体感の拠り所が両親に絞られるということは、一体感を通してインストールされていくであろう価値観や規範意識も両親に束縛されやすい、ということでもあります。

集団的自己愛のニーズに応えた企業

このように20世紀も高度成長期の頃にもなると、従来的な地域社会や大家族は希薄化し、次第にニュータウン的な暮らしが増えていったわけですが、集団的に自己愛を充たすことに慣れていた当時の人達が、即座にスタンドアロンな自己愛の充たし方に移行したわけではありません。集団的な自己愛が充たしにくくなっていくなか、当時の日本企業は、そのような心理的ニーズを巧みに汲み取って組織化することに成功しました。少し前、NHKのテレビ番組に「プロジェクトX」というものがありましたが、あの番組に登場する、企業やプロジェクトに対し身を粉にして働く社員達と会社との関係が、まさにこれにあてはまります。

「プロジェクトX」の成功譚に登場する社員たちの、残業や徹夜や身の危険も厭わず困難な事業を達成していく姿は感動モノですが、しかし今の労働基準からすれば明らかに働き過ぎな、心身の潰れそうな働きっぷりがなぜ成立したのでしょうか？　あんなに身を削って働いても、燃え尽きることなく〝モーレツ社員〟で居続けられた理由は、会社やプロジェクトとの一体感を介して自己愛を充たすことが出来たからではないでしょうか。

私は「プロジェクトX」を見るたびに、現代の、企業との一体感が希薄な社員に同じことをやらせたら絶対にメンタルヘルスを損ねるだろうと思ったものです。しかし、企業との強い一体感を介して自己愛を充たせていた当時の社員達であれば、そのような境遇にも大きなストレスを感じずにイキイキしていられたのかもしれません。

もちろんこれは、高度成長と終身雇用制度という、今では期待しようのないバックボーンがあってこそ成立した一体感であることは言うまでもありません。終身雇用制度が暗黙の了解とされていた当時は、会社が社員を／社員が会社を見放す事態は、現在ほど意識する必要はありませんでした。

また、高度成長期でしたから、同じ企業で働き続ければ、成長していく企業の恩恵を受けて社員一人ひとりにも見返りが期待できたわけです。ですから〝社員一丸となった〟企業が、高度成長の時代の波に乗れている限り、〝モーレツ〟な社員としても企業の看板を誇りに、奉公に見合った御恩を期待しながら働きやすかったことでしょう。

しかし、二度のオイルショックを経験し、さらにバブル経済が弾けた1990年代以降、共同体としての企業は崩壊に向かいました。〝モーレツ〟のかわりに過労死が話題になりはじめ、自信を喪失したはけ口を援助交際に向ける中年男性が出現して社会問題にもなったのが90年代です。つまり、集団で自己愛を充たす時代は終わりにさしかかり、個人単位で自己愛を充たさなければならない時代が幕を開けつつありました。

5　1980～90年代の変化——個人単位の自己愛充当へ

ニュータウン育ちの世代が社会に進出し始めたあたりから、社会のなかで自己愛を充たす方法は少しずつ個人主義的な色彩を帯び始め、それに並行して世の中の仕組みも少しずつ変化していきました。

1980年代に入ると、従来のような企業と社員とが一体になった働き方に代わって、自分の成果は自分のものと主張し、それに見合った地位や報酬を期待する考え方が徐々に支持されはじめます。企業共同体から一切束縛されない〝フリーター〟のような働き方を選ぶ若者も登場し、転職に対して柔軟な考え方を持つ若者は、無理をしてまで企業に残ろうとは考えなくなり始めました。さらにバブルが崩壊した90年代以降になると、「成果主義」「自己責任」といった言葉が盛んに口にされるようになり、仕事に対する個人主義的な考えは一層色濃くなっていきます。

「成果主義」や「自己責任」といった言葉が浸透していった背景のひとつには、グローバルな競争に勝ち抜くことを迫られた日本企業側の、優れた人材を集めたいという思惑もあるでしょう。しかしそれだけでなく、80年代以降に社会に進出したニュータウン生まれの若い世代が予め個人主義的な価値観を持ち、［①他人を映し鏡にして自己愛を充たす］ことに抵抗感が無かったからこそ、個人主義的なワークスタイルを違和感なく引き受けることが出来たという事情を無視するわけにはいきません――伝統的な地域社会に育ち、「皆と同じでなければならない」「出る杭は打たれる」的な価値観をより強く内面化している世代において、「成果主義」「自己責任」といった個人主義的な考え方がすんなり浸透したとは、ちょっと想像できません※4。

※4　こうした新旧世代の価値観の違いを象徴していたのが、元ライブドア社長の堀江貴文氏に対する新旧世代の見方です。経済的にも心理的にも個人的なアチーブメントを隠そうともしない堀江氏のスタンスは、新世代からはカリスマ的に評価される一方、旧世代からは社会のことを考えないエゴな若者の象徴として嫌悪されるものでした。

消費による自己愛充当の台頭

もちろん、こうした個人主義的なワークスタイルが定着していくと、経済面だけでなく、心理面でも著しい個人差が生じていきます。つまり、起業やヘッドハンティングを通して個人的な大成功を収められる人は、成功という揺るぎない評価を介して「①他人を映し鏡にして自己愛を充たす」は十分に充たされるでしょうが、そうでない平凡な大部分の人はこの限りではないのです。しかも、企業共同体や地域社会より自由を選んだ個人主義者達においては、集団的な一体感を通して自己愛を充たすこともままなりません。

そこで、人々の自己愛不足を埋めるように台頭してきたのは、モノを消費することで自己愛を充たす、というライフスタイルです。ちょっと格好良い品を手に入れて、その格好良い品との一体感を介して自己愛を充たしたり、他人が「あれ欲しいなぁ」と思うような品を一歩先んじて手に入れて、他人から羨望のまなざしを集めて自己愛を充たしたりするような処世術が、１９８０年代以降は急速に広がっていきます。

モノを消費して自己愛を充たすこと自体は、80年代以前にも無かったわけではありません。例えば高度成長期においても、三種の神器（洗濯機、冷蔵庫、白黒テレビ）のような品物は、〝豊かな生活を象徴するモノ〟との一体感を介して自己愛を充たすうえでも役立っていました。しかしそれらのモノは、個人の所有物である以前に家の所有物であり、自己愛を充たすためのアイテムである以前に生活家電でした。

これに対し、80～90年代にかけてのモノの消費は、ウォークマンであれ、北欧製のチェアであれ、生活必需品である以前に、プライベートに自己愛を充たすためのアイテムでした。コピーライター・糸井重里さんの「おいしい生活。」(1983) というキャッチコピーが示しているように、生活の利便性に貢献するためだけのモノはもう〝おいしくなった〟のです。より自己愛を充たせる品・もっとライバルに差をつけられるような品こそが〝おいしい〟――こうした新人類的、ボードリヤール風に言うなら差異化ゲーム的なモノの消費は、首都圏において差異化のヒエラルキーを形成しながら、(セゾングループのような) 大手資本が結びつく形で日本全国へと拡散していきました。

そしてバブル景気が始まると、日本人は世界中からモノを買い漁って自己愛を充たし始めるようになり、西欧では上流階級しか身につけないような高級ブランド品を普通の女子高生が持ち歩くという風景を、あちこちで見かけるようになりました。

とはいえバブル崩壊後の90年代も半ばに入ってくると、カネにモノを言わせて他人から羨望のまなざしを集めることは困難になってしまいました。モノを介して自己愛を充たしたい (=充たさなければならない) けれども、高級車やブランド品を買い漁るほどのカネも無い――そんな経済的に余裕の無くなった若い世代の、差異化ゲーム・センス競争の主戦場は、サブカルチャー領域へと移りました。なぜなら、「頭の良い人向けの本」「知る人ぞ知る映画」「通の知っているラーメン」……は、80年代的なセゾン系大手資本の文化などに比べれば遙かに安上がりで、それでいてプライベートに自己愛を充たすには十分だったからです。

もちろん、そんなサブカルチャー領域で他人よりも長じ、他の同好者からも「なるほど、こいつはよく勉強しているし趣味もいい」といっぱし扱いされるためには、それなりに努力とセンスが必要でしたが。

6　21世紀の自己愛――コンテンツの進化と差異化ゲームの終了

しかし21世紀においては、こうしたサブカルチャー領域で「ライバル達に差をつけて自己愛を充たす」手法は主流ではありません。80年代の新人類や90年代のサブカル者のように、手間暇かけて頑張ってモノを消費しなくても、もっとゆるく・もっと気楽にモノを消費するだけで自己愛を充たせるようになったからです。

そうなった理由は多岐にわたりますが、第一には、キャラクターコンテンツが急速に発展したことによって、他人を介するまでもなく、コンテンツのなかのキャラクター達が自己愛を充たしてくれるようになった、というものがあります。

例えば疑似恋愛ゲームの美少年／美少女キャラクター達は、プレイヤーを励ましたり慰めたり愛したりすることで［①他人を映し鏡にして自己愛を充たす］を擬似的に叶えてくれます※5。しかも、現代のキャラクターは徹底的にノイズを削ぎ落とした〝魅力の塊〟のようなものですから、架空の存在というハンディを差し引いてもその効果は侮れません。

※5　それだけでなく、キャラクターが［②理想の対象を通して自己愛を充たす］［③自分に似た対象を通して自己愛を

充たす」まで引き受けていることもあります。例えば『新世紀エヴァンゲリオン』の綾波レイなどは、勇敢で献身的な美少女という意味では理想化自己対象として十分に機能していますし、彼女の口下手で不器用なところは、そういうオタクにとって双子自己対象として機能する可能性を秘めています。

第二に、サブカルチャー領域にあまりにも多くの作品が蓄積し、沢山のサブジャンルに別れてしまったために、「どちらの作品のほうがセンスがあるのか」「どちらのほうが格好良いのか」が誰にも判定できなくなってしまったから、というのがあります。ジャンル～サブジャンル～作品が殆ど無限に近く存在し、それぞれに無数の愛好家がいるなかで、すべての作品を鑑賞・吟味したうえで差異化のヒエラルキーをぶちあげることは人間には不可能ですし、仮に誰かが恣意的にやったとしてもサブカルチャー全体のコンセンサスとはなり得ないでしょう。そんな状況下で自己愛を充たすにあたっては、頑張って周りの人間に自分を尊崇させて「①他人を映し鏡にして自己愛を充たす」よりも、同じ作品を愛好している者同士が出会ったことを喜んで「③自分に似た対象を通して自己愛を充たす」ほうが、遙かに自己愛を充たしやすく、しかも波風も立ちません。

そして第三に、ここまでサブカルチャー領域が細分化して、誰にもヒエラルキーが分からなくなったことを逆手に取って、自分の好きな作品やジャンルこそが最高！（そしてその作品やジャンルを選んでいる俺も最高！）とめいめいが勝手に思いこんで、他のジャンルを見下すことが可能になった、というのもあります。こうなると、もはや自分のジャンルを真面目に究める必要すら無く、「俺が愛好しているジャンルは最高！」「そしてこれを知らないあいつらは最低！」という思い込みさえあれば、優越感だけは得られます。もちろんこんな気分は、他のジャンルの愛好家からすれば噴飯モノですし、真面目にサブカルチャーをやっている人から見れば堕落もいいところなのですが、他ジャンルの作品とも愛好家ともマトモに対峙するつもりが最初から無いような人の場合は、そうやって自分のジャンルに引きこもりながら優越感を充たしてもなんの不都合も発生しません。

こうした理由が重なった結果として、今日のサブカルチャー領域では、一生懸命に道を究めようとしている愛好家や、互いの優劣やジャンル間の差異について比較検討しようと真剣になっている愛好家は少数派となりました。サブカル者がある種の緊張感を帯びながらライバル達に差をつけようとしていたのも、オタク者が自分の好きなジャンルに寝食を削ってまでのめり込んでいたのももはや過去の話で、現在は、ひたすら好きなコンテンツを消費し、それを最高だと思いこんで耽溺さえしていれば、それだけで自己愛を充たせるようになったのです。

7　二つの自己愛パーソナリティ障害

こうして、共同体のなかで集団的に自己愛が充たされる時代は終わり、個人的な成功やコンテンツ消費を介して自己愛を充たす時代がやってきました。しかしここまでを読んだ人なら薄々勘付いているかと思いますが、自己愛に飢え、自己愛に振り回されて社会適応の幅が狭くなったり歪になったりしている人は年々増大しているようにみえます。むろん、景気の悪さも、充たされない自己愛の一大要因になっているでしょうが、だからといって近年では比較的好景気だった小泉政権時代なら自己愛が充たされていたと記憶している人は、あまり多く無いのではないかと思います。

自己愛を充たす方法が変化しているだけでなく、世代を経るにつれて、私達自身のメンタリティそのものが自己愛に飢えやすくなってきているのではないか？　それを考えるうえで参考になるのが、自己愛パーソナリティ障害です。

自己愛パーソナリティ障害とは、自己愛を充たすために社会適応に極端な支障や歪みを来してしまうような性格傾向を指しています※6。自己愛に飢えやすいメンタリティが最も極端に現れている人達と考えて差し支え無いでしょう。この自己愛パーソナリティ障害は、１９６０～70年代ぐらいからとみに増え始め、現在も増え続けていると言われています。

※6　「自己愛パーソナリティ障害」という概念は、引用元や学派によって幾らかニュアンスが異なります。本書ではコフートが提唱した自己愛パーソナリティ障害を紹介しています。自己愛パーソナリティ障害を「境界パーソナリティ障害」の亜種として捉えるカーンバーグの提唱する概念や、顕示型の自己愛パーソナリティ障害についての記述しかないＤＳＭ－Ⅳの概念とはちょっと異なっている点は断っておきます。自己愛パーソナリティ障害という言葉を見たら、誰の提唱した概念なのか、注意しておく必要があります。

自己愛パーソナリティ障害は、見かけ上、大きく分けて二つのタイプをとります。傲慢でプライドの高い態度ばかりみせる「顕示型」と、恥に敏感でプライドの傷つきを極度に避ける「過剰警戒型」です。

「顕示型」は、一人で起業してワンマン社長を務めている人や、有名人などにもしばしばみられる

表4-3　顕示型と過剰警戒型の自己愛パーソナリティの目安

顕示型の自己愛パーソナリティ	過剰警戒型の自己愛パーソナリティ
・他者の反応に無頓着	・他者の反応にひどく敏感
・高慢で攻撃的	・恥ずかしがりで、目立つのを避ける
・自己陶酔が大好き	・自己卑下に陥りがち
・注目の中心であろうとする	・注目の中心になることを避ける
・「受け手であろうとしない。常に送り手であろうとする」	・他者の話に軽蔑や批判の証拠を注意深く探す
・他者を見下し批判や非難はスルー、面の皮が厚い	・すぐ傷つきやすく、恥と屈辱の感情を起こしやすい

丸田俊彦「パーソナリティ障害——自己愛型人格障害」『精神科治療学』1998年5月号を参照。

タイプで、栄華を保てるうちは社会適応もそれほど悪くはありません。しかし、傲慢でプライドの高い態度ゆえに敵を作りやすく、他人のアドバイスに耳を傾けることが苦手です。ですから表面的なイエスマンに囲まれることは多いのですが、うち解けた友人や家族には恵まれにくく、しばしば孤独です。

対して「過剰警戒型」は、対人関係のなかで恥をかく可能性のある場所では自己主張を避け、プライドが傷つけられないよう振る舞おうとします。そのせいで人間関係や興味の幅が狭くなりやすく、学習や技能獲得のチャンスにも恵まれにくく、やはり孤独に陥りがちです。〝出る杭は打たれる〟とばかり、自分が傷つく可能性のある状況を精一杯回避しようと頑張ってはいますが、それでも何かの折にプライドを傷つけられてしまったら、たちまち打ちのめされて落ち込んでしまい、ときには不眠、食欲不振、身体の不調感などに陥ってしまいます。

この「顕示型」「過剰警戒型」という二つのタイプは、

状況によって入れ替わることがあります。「巧くいっている時は顕示型」「巧くいっていないときは過剰警戒型」という人や、自分が調子に乗れる場面では「顕示型」をとり、調子に乗れそうにない場面では「過剰警戒型」をとる人などです。特に、状況にあわせて「顕示型」「過剰警戒型」をスイッチングできる人の場合、社会適応を比較的維持しやすく、自己愛パーソナリティ障害の〝障害〟という言葉があまり似合いません。

例えば「モンスタークレーマー」「正義感でメシウマインターネット」のときには「顕示型」をとり、恋愛に対しては「めんどくさい」を貫き仕事中はだんまりを決め込んで「過剰警戒型」をとるような内弁慶タイプは、たとえ自己愛パーソナリティ障害に相当するようなメンタリティでも、そう簡単には精神的にノックアウトされません。自己愛を充たせそうな場面では徹底的に尊大になっておき、プライドが傷ついてへこみそうな場面では亀のように首をひっこめてやり過ごしていれば、自己愛を充たせる機会を最大限に生かしながらも、自己愛が傷つきそうな場面での傷つきを最小化することができます。

実は、「顕示型」「過剰警戒型」のどちらかに著しく傾いてしまっている人や、切り替えがへたくそな人でもない限り、自己愛パーソナリティ傾向が少々強いとしても、意外と社会適応もメンタルヘルスも保ててしまうものなのです。

現代社会では、場面や立場ごとに望ましい態度・取れる態度がバラバラですから、「顕示型」「過剰警戒型」を場面ごとに使い分けするのはそれほど難しくありません。というよりも、「顕示

ニュータウンに暮らす人達の、ベーシックなパーソナリティこそが、現代の都市や型」と「過剰警戒型」の二種類の表現型を使い分けるようなパーソナリティだとさえ言えます。

8　自己愛パーソナリティ傾向は、どのようにして生まれるのか

では、自己愛パーソナリティ障害に代表されるような、自己愛を充たすことに汲々としやすい性格傾向は、どのようにして生まれてくるのでしょうか。

自己愛に飢えやすいパーソナリティが生まれてくる背景について、多くの心理学者は「幼い頃に自己愛を充たす機会に恵まれない人は、自己愛パーソナリティ障害になりやすい」と指摘しています。紙幅の都合もあるので、ここでは、自己愛パーソナリティ障害をとりわけ詳しく研究したコフートの学説だけ紹介しようと思います。

コフートの学説を大雑把に要約すると、以下のようになります。

・幼児期～学童期の間に、極端に自己愛を充たせない時期があると、自己愛の要求レベルはその時期のものに止まってしまいやすい。そのまま歳を取ると、自己愛を幼児レベルに充たさないと充たした気持ちになれない大人になる。

・幼児期～学童期にかけて、まずまず年齢相応に自己愛が充たされていれば、自己愛の要求水準

は下がっていく。

・自己愛を充たしてくれる相手との人間関係次第では、自己愛パーソナリティ傾向の強い人でも自己愛の再成長が進むことはあり得る。ただし年齢が上がるほど、再成長は難しくなる。

・自己愛の要求水準が年齢相応に下がっても、自己愛を全く充たさなくて済むには至らない。人間は、最低限の自己愛の供給源（自己対象）を生涯必要とする。

幼い頃、両親や友達との一体感を介して自己愛を充たす機会に恵まれなかった人ほど、成人後もハイレベルな自己愛充当を求めてしまう人になりやすい、というわけです。コフートの著書で紹介されている自己愛パーソナリティ障害の症例には、家庭の父親の影が希薄で、かつ〝なんらかの理由〟で母親も子どもの自己愛を充たす役目を果たせなかったという家族構成がよく登場します。〝なんらかの理由〟とは、母親自身が自己愛に飢えていて自分の自己愛を充たすために子どもを使役していた事例や、母親自身がメンタルヘルスを損ねていて十分な子育てができなかった事例などです。とにかく、幼少期に自己愛を充たす機会を慢性的に奪われ続けた人はハイリスクとされています。

逆に言えば、自己愛の要求水準が年齢相応に軽くなり自己愛を求めすぎない人に育っていくためには、両親なり友達なりとの一体感を感じられるような体験が必要不可欠ということになります。そうした体験の旬の時期としては、

①他人を映し鏡にして自己愛を充たす（鏡映自己対象、2〜4歳が旬）
②理想の対象を通して自己愛を充たす（理想化自己対象、4〜6歳が旬）
③自分に似た対象を通して自己愛を充たす（双子自己対象、学童期が旬）

とありますが、自己愛を充たすための三つのパターンのうち、どれをいつ、どこまで体験できるかは個々人でまちまちでしょうし、その違いは自己愛の充たし方の得手不得手にも反映されます。

例えば、子ども時代に②③な自己愛充当に恵まれるも①な自己愛充当には恵まれなかった人は、大人になって会社の上司や同僚との一体感を介して自己愛を充たすのは得意でも、人に褒められるのは不得手な、自己主張の苦手な人物に成長しやすいかもしれません。

逆に、①ばかり恵まれた子ども時代を過ごした人は、派手なスポットライトや劇の主役は得意でも、尊敬できる師を見つけにくく同僚を軽蔑しがちな人物に成長しやすいかもしれません。

そして最後に、重要なことですが、次のようにもコフートは付け加えています。

・単に自己愛が充たされるだけでなく、まずまず年齢相応な、失望しすぎない程度の齟齬や摩擦を含んだやりとりのなかで、自己愛の要求水準はちょっとずつ下がる。
・満足のいく水準で充たされていた自己愛が、あまりに急に充たせなくなると自己愛の要求水準はそこで止まってしまう。

子ども時代のある時点までたっぷり自己愛を充たしてもらえたとしても、ある日突然、自己愛が充たせなくなるようでは支障を来す、ということです。例えば幼稚園に入るまでは何をやっても無条件に母親に褒められていた子が、幼稚園入園とともに突然「これからはあれをしてはダメ、これをしてもダメ」という母親の方針変更に直面した場合などは、①の要求水準は幼稚園入園の段階で停止してしまう可能性が高く、幼稚園児並みに褒めてもらわないと真から満足できない人物になりやすそうです。逆に、幼稚園に入る前から少しずつ、社会のルールを守れる時には褒めてもらえて悪いことをしたら叱られるといった具合の子であれば、そうなってしまう可能性はまだしも低く抑えられるでしょう。

まとめると、小さい頃から年齢相応にたくさん自己愛が充たせるほうが望ましく、なおかつ自己愛を充たしきれないような齟齬や摩擦が、年齢にあわせて少しずつ体験されるぐらいが望ましい、ということになります。

9　自己愛パーソナリティという観点から見た、私達の育った環境

以上を踏まえたうえで、私達が育った生育環境を振り返ってみましょう。

私達の世代、特にニュータウンで育った世代は、母親一人に子育てが任されがちな環境で育てられました。ということは、子ども時代に自己愛を充たして貰えるか否かの大半が母親次第の環境で育てられた、ということです。もし、母親が疲れ果てていたり、母親自身が自己愛に飢えていたりしたら、子どもの自己愛は充たせなくなってしまいますが、そうした事態に際して自己愛充当を保険的に補ってくれる人物はいません※7。

※7　こうした問題は、母親が自分以外の大人を見下していて、周りの大人もそれに逆らえないような状況下では特に顕著になります——小学校ぐらいまでの子ども時代に、母親の価値観や束縛に反抗して、母親がダメ出しするような人物を一体感の対象にするのは殆ど無理ですから。

母親とて人間ですから、どこかの誰かから自己愛を充たして貰わなければ心が折れてしまいます。しかし私達の世代の父親は、仕事に〝モーレツ〟であることが社会的に望ましいとみなされていましたし、単身赴任で家を留守にしている父親も少なくありませんでした。なら、親族や学生時代の友達から遠く離れたニュータウンで孤立した母親は一体どこの誰との一体感を介して自己愛を調達してくればよいのでしょうか？

コミュニケーションの技能に優れ、外向的な母親であれば、子育てなりカルチャークラブなりを介して新しい友人をつくり、お互いに一体感を感じながら過ごせたかもしれません。しかし、すべての母親がコミュニケーションの技能に優れていたわけでも、外向的だったわけでもありません。少し不器用な母親が、目の前のかわいい我が子を一体感の対象として期待するのはむしろ自然な成り行きだったのではないでしょうか。

こうした母親にとって、第2章で紹介した〝教育ママ〟はかなり優れた処世術でした。子どもをしっかり教育すると、「わがままで勉強も出来ない我が子」との一体感ではなく「優等生で自分の思い通りになる我が子」や「コンテストで一位をとってくる我が子」との一体感を母親は感じ取ることが出来ました。つまり、子どもをしっかり教育してピカピカに磨き上げれば磨き上げるほど、そのピカピカに磨き上げられた子どもとの一体感を介して母親自身の自己愛もハイレベルに充たせる、というわけです※8。

こうした子どもの磨き上げは、母親の自己愛充当への飢えが激しいほど・母親の自己愛充当の要求水準が高いほど激しくなりやすく、ともすれば、等身大の子どもを置き去りにして理想の子どもという名の蜃気楼を追いかけてしまうリスクを孕んでいました。

※8　この場合、教育ママは立派な成績を取ってきた子どもを介して②を充たすと同時に、よその子とはちょっと違った子どもを育てられた私なるものに自惚れたり、他のママから羨望のまなざしを集めたりすることで①をも同時に充たすことが可能です。

しかも、子どもを磨き上げすぎてしまうことが子ども自身の自己愛にもたらす〝副作用〟については、当時の母親にも社会にもあまり認知されていませんでした。一応、昭和後期には一部の教育専門家が〝母子密着〟の問題や子どもの自発性の問題に注意を喚起しはじめていましたが、「高学歴になるほど子どもは高収入になれる」「末は博士か大臣か」的な受験産業の盛り上がりに比べて、あまり注目されていたとは言えません。実際は、子どもへの教育が多少過剰になっても、世間体的には〝教育熱心な母親〟とみなして貰えるだけですし、あまり遊ばせて貰えない子どもが辛そうにしていても、〝我が子の将来のために仕方なくやっている〟と自分自身と子どもに言い聞かせることもできました。

構造的に子育てが困難だった時代

もちろん当時も、子どもに対して過剰に教育熱心になりすぎることなく、子どもに自己愛を求めすぎるでもなく、バランス感覚を保って母親をやり遂げた女性達がいなかったわけではありません。しかし私は、これはやり遂げて当然だったのではなく、教育ママ化に伴うリスクを誰から教わるわけでもなく避けた、凄い母親だったのだと思います。

現在でも世の中のかなりの割合の人たちは、「子供の教育はうまくいって当たり前、うまくいかなければ母親のせい」的に考えがちです。しかし実際は、ニュータウンという孤独な生活環境のなかで一手に子育ての責任を引き受け、子どもとの一体感という誘惑に溺れることなく、受験産業の思う壺に陥ることもなく、子育てに対するバランス感覚を保ち続けるのは、そんなに簡単なことではなかったと私は思うのです。

こうした〝母子密着〟になりやすく〝教育圧〟のかかりやすい状況下で、おそらく母親の苦労と愛情のもとで私達は育てられました。母親自身の自己愛を充たすために子どもが（一体感の対象としてお人形のごとく）必要とされたことは、私達の世代の自発性の足り無さとも、マザコン息子が多いこととも、それなりに関連しているでしょう。そして父親不在の家庭環境で、母親からは「個性」「末は博士か大臣か」と吹き込まれながら、ろくに同世代との集団遊びをせずに育ったような人が、①ばかり求めてやまず②③に不慣れで、それでいて自発性もコミュニケーション能力も足りずに社会適応に行き詰まってしまうのも、無理ならぬことだと思います。

しかし、それらの責を当時の母親達に求めるのは酷なことですし、そんな母親に子育てを任せていた父親達を断罪しても仕方がありません。そのような時代・そのような社会・そのような常識のなかで、当時の父親も母親も良かれと思うことを行い、我が子のために職場や家庭で最善を尽くしてきたのでしょうから。

10 自己愛を求めすぎてしまう心を抱えながら

かくして、私達の多くは自己愛にとても飢えやすいパーソナリティ傾向を身につけて社会に進出しました。母親の、そして私達自身の自己愛を充たす手段を恒久的に提供するように思えた学歴は、空手形に過ぎませんでした。

世の中のほうも心得たもので、そんな私達の過剰に自己愛を充たしたがるメンタリティに付け込むように、多くの夢売り商売や自己実現ビジネスが登場しました。「クリエイティブな仕事をしたい」「人のためになる理想の仕事をしたい」「ただのサラリーマンではない仕事をしたい」という願望を充たしてはくれるけれども、金銭的にはほとんど報いの無い仕事、将来性がゼロに等しい仕事に、同世代の少なからぬ人々が吸い込まれ、雑巾のように労働力と将来性を搾り取られました。自己啓発セミナーの、カリスマ的なカルトとの一体感に酔いしれるのと引き換えに、高価な品物を購入させられたり、ねずみ講まがいのビジネスに手を染める者も少なくありませんでした。

こうした私達の自画像を見ていると、平成時代の私達は、昭和時代の日本人と比べてずいぶんとひどい〝自己愛人間〟になってしまったように思えますし、実際、そのとおりなのでしょう。

しかし、自己愛に飢えやすくなっているのは私達の世代だけではありません。世の中全体が自己愛に飢えやすくなっている点にも留意する必要があると私は思います。事実、近年は「キレる若者」だけでなく「キレる老人」「キレる団塊世代」も少なからずいるのですから。電車のなかでみっともない態度をとっているのが、若者ではなくむしろ老人達であったり、年配の人がショッピングモールの店員に怒鳴り声を上げていたりするのを見るにつけても、心理的に余裕が無くなっているのは、私達の世代だけに限らないように思えるのです。

ちょうど20年前の1992年、小此木圭吾という精神科医が『自己愛人間』（ちくま学芸文庫）という本を著して、当時の日本人の自己愛について論じたことがあります。この本を今読むと、企業や地域社会を介した集団的な自己愛充当が衰退しはじめ、個人レベルで自己愛を充たす現代のトレンドに近づきはじめているのが見てとれます。と同時に、それまでの日本人が、勤勉で自己主張が少ない控え目人間だったようにみえて、その実、集団的に自己愛を充たすための社会システムにどっぷり依存する形で自己愛を充たせていたということに気付かされます。

21世紀の日本社会は、そのような過去の社会システムに自己愛充当を強く依存していた人達にとっても、自己愛に飢えやすい社会なのだと思います。

第5章　SNS時代のコミュニケーション

前章で私は、メディアコンテンツやキャラクターが自己愛充当に占めるウエイトが大きくなっていて、しかもお気軽になっている、という話に触れましたが、そのようなコンテンツ消費・キャラクター消費が当たり前になった21世紀においては、現実の人間同士のコミュニケーションや一体感の充たしあいも、20世紀と違っていておかしくありません。

本章では、そんな当世風のコミュニケーションの現状と心理的背景について、インターネットコミュニケーションを参照しながら考察してみようと思います。

1　キャラとキャラとがコミュニケーションする時代

昭和の頃、キャラクターというとアニメや漫画の登場人物を連想するものでしたが、平成時代に入った頃から、「キャラクター」「キャラ」という言葉がコミュニケーションのシーンでも多用されるようになりました。「キャラが立っている／立っていない」「おいしいキャラ／おいしくないキャラ」といった具合に、若い世代は自分のキャラがどうであるのか・相手のキャラがどうであるのかに敏感です。そして自分が自己愛を充たすのに有利なキャラを望み、「いじられキャラ」のような、他人の自己愛を充たすための道具的キャラになってしまう事を恐れます。

キャラを意識した人間関係は、ケータイ小説やアニメ作品のそれとは異なり、現実の、生身の人間関係のなかで起こるわけですから、誰もが「かわいいキャラ」「強いキャラ」を獲得できるわけではありません。例えば中学校のある学級で「高嶺の花キャラ」や「クラス内のまとめ役キャラ」を得られるのは、それぞれ数人程度でしょう。影が薄い人には「影が薄いキャラ」があてがわれてしまうかもしれず、人の顔色を伺う人は「パシリキャラ」認定されてしまうこともあります。「いじられ役キャラ」「不潔キャラ」に認定されてしまったら、たまったものではありません。

「高嶺の花キャラ」や「強いキャラ」を得た人にとって、学校生活はあたかもケータイ小説やライトノベルのように自己愛を充たし放題に体験されるかもしれませんが、「いじられ役キャラ」や「不潔キャラ」認定されてしまった人は、クラスメートを引き立てるために貶められたり、空気人間扱いされたりするだけの、苦しい境遇に甘んじることになってしまいます。

キャラを介した人間関係は、それゆえヒエラルキーのような構造をつくることがしばしばあり、特に学校内でのそれはインターネットスラングで「スクールカースト」と呼ばれています。

キャラコミュニケーションの陥穽

ただし、強くて理想的なキャラを獲得できればそれで安心かというと、そうでもありません。「高嶺の花キャラ」「強いキャラ」認定されるようになった人も、そのキャラとしての一貫性を欠いた言動をとっていると、それらの理想的なキャラが成立しなくなってしまうリスクがあります。このため、無理をしてまで理想的なキャラを引き受けた人間は、童話『人魚姫』のようにしんどくてもキャラを演じ続けるしかなくなってしまい、そのストレスが溜まって心療内科を受診するに至る人さえいます。

ですから、こうしたキャラを介したコミュニケーションは、ある意味、過酷な世界です。上位陣は上位キャラを維持しなければなりませんし、もちろん下位陣はクラスメートを介して自己愛を充たすことが難しく、それどころか他のクラスメートの自己愛を充たすための引き立て役の立場に甘んじることになるのですから。

昭和時代の学校生活、特に男子同士の友人関係といえば、泥だらけになって喧嘩することはあっても、喧嘩が終わって仲直りするたびに「こいつはこういう所もあるから、こう対処したほうがいい」風に、クラスメート同士の相違点や得手不得手を把握しあっていったものです。ところが時代が後になればなるほど、わかりやすくて表面的なキャラだけを認識しあって、キャラに当てはまらない部分を意識することなく、キャラでクラス内の立場や役割を把握するスタイルが優勢になってきています。

こうした環境下の子どもは、学生時代のうちに自覚的にキャラを演じる能力は高くなるかもしれませんし、キャラに合致しない部分を隠す作法も身につきやすいかもしれません。出会った他人を即座にキャラに落とし込むのも上手くなるでしょう。

しかし、万事がこんな調子では、他人と自分の違いを認め合ったうえで共存するようなノウハウは育ちようがありません。

2　接点の乏しい人間関係はキャラ化を免れない

では、なぜキャラというものが重要性を増すようになったのでしょうか。

キャラが意識されやすくなった要因は実際には多岐にわたるでしょう。しかしそのなかで最も根本的な要因は、クラスメートや友人関係をはじめ、子ども時代の対人関係の接点が少なく単純化してしまった、ということにあると私は考えています。学校では一緒に遊ぶけれども放課後は別々の習い事で過ごすとか、たとえ放課後に一緒に遊ぶにしてもゲームなどのメディアを媒介物にして遊ぶなど、対人関係の接点が少なくなったり関係が単純化したりすると、コミュニケーションをとる対象はキャラ化しやすくなり、コミュニケーションの様式もキャラ依存性が強くなるのではないでしょうか。

これだけでは分かりにくいと思うので、例を挙げてみます。

例えば、あなたが都会のコンビニ店員に出遭う時、あなたからみた店員は「コンビニ店員」以上の情報がありません。愛想の良し悪しや性別ぐらいはみてとれるかもしれませんが、接点がレジ会計だけでは「コンビニ店員以上でも以下でもない」わけで、それ以上を知る必要も無いでしょう。対して、地域社会の友人の親が八百屋のオヤジをやっているような場合、「八百屋のオヤジ以上でも以下でもない」では済みません。地域行事での接点や、友達の親としての接点、街中の色々な場所で出会うときの接点までも加わるので、ただの店員キャラとして単純化しづらい色んな面が（良くも悪くも）目に入ってきます。

その場限りのコンビニ店員なら「コンビニ店員キャラ」という言葉がしっくりしますが、複数の場面・文脈のなかで繰り返しやりとりする八百屋のオヤジのほうは、一辺倒なキャライメージにはおさまらない、多面的・多層的な人物像が見える（見ざるを得ない）、というわけです。

多面的・多層的な接点の減少

同じことを、小学校の友人関係に当てはめてみましょう。学校なら学校・塾なら塾といった、限られた文脈のなかでだけコミュニケートするクラスメートと、学校以外の多種多様な場所・文脈でコミュニケートするクラスメートを比較すると、さっきのコンビニ店員に近いのは前者で、八百屋のオヤジに近いのは後者ではないでしょうか。

昔の地域社会の小学生だったら、学校で会う友達も、放課後に遊ぶ友達も、地域行事や銭湯で出会う友達も同じ相手でしたから、多面的・多層的な人物像を把握しやすい（そして把握していかなければならない）付き合い方が主流でした。ところが、地域社会が消失した都市やニュータウンの、放課後がスケジュールで切り分けられた子どもの場合、学校のクラスメート・塾に通う友達・スポーツクラブで知り合う友達は、必ずしも同一ではありません。

限られた接点・文脈のなかで出遭うそれぞれの場面の友達は、（地域社会の友人関係に比べると）見え方や付き合い方が一面的になりやすく、その場のわかりやすい特徴だけをピックアップしたキャラ把握でもコミュニケーションが済んでしまいます。例えば「塾では一番できるけど鼻持ちならないやつ」「キモいグループのデブ」といった具合の把握でも何も困りませんし、実際それ以上の情報を目にする機会も、必要性もありません。

つまり、子ども同士が多面的・多層的な接点を持つ生活空間と、子ども同士が限定的・単一的な接点しか持たない生活空間では、相互把握の様式もコミュニケーションに必要な処世術も異なり、キャラを介してのコミュニケーションは後者にこそ適合している、と言いたいのです。世代が下るほどコミュニケーションの内容が、キャラ的様相を深めていった背景としても、ニュータウン的な生活空間は重要な意味を帯びています。

3　他者との摩擦を回避するためのコミュニケーションスキル

昨今よく言われる「コミュニケーションスキル」というものも、書店に並ぶ自己啓発書などをみる限り、このキャラを巡っての立ち回りの巧拙について書かれているものが多いようにみえます。

人気キャラになるためのコミュニケーション、悪いキャラにならないためのコミュニケーション、そういうことに役立つテクニックはたくさん載っていますが、泥んこまみれになって喧嘩するための方法とか、キャラの向こう側を意識しあうことに主眼が置かれている本はあまり見かけません。キャラの〝なかのひと〟を細かく知ろうなどとは、もう誰も気にかけていないのかもしれません。

お互いにキャラしか見ないコミュニケーションは、自己愛を充たし、齟齬や摩擦に苛立たないようにするという点に関しては、便利といえば便利です。なぜなら「強いキャラ」の人は、自分より弱キャラな人達の、キャラ以外の部分では優れているかもしれない部分を直視しないで済み、それがために「強いキャラ」さえ手に入れれば「弱いキャラ」に対して一方的に優越感を感じ続けることが可能になるからです（＝「①他人を映し鏡として自己愛を充たす」、第4章参照）。そんな、相手のことをろくに知りもしないままのやりとりでも、とりあえずはコミュニケーションが成立しているような外観は得られます。

また、この種のコミュニケーションは、「弱いキャラ」の人にも無視できないメリットを提供しています。もちろん「弱いキャラ」側の人はキャラとキャラとのコミュニケーションのなかでは引き立て役で、自己愛を充たせません。けれどもその人は、自分達の強弱関係があくまで「キャラとキャラとの間の」それであって、あらゆる面で自分が劣っているわけではないという自意識を維持できます。例えば「あいつらにはキャラでは負けているし、俺は社交界では見下されている。けれども本当に価値のあることは、あいつら何にも分かっちゃいない」と思っている限りは、社交上は慇懃無礼を続けつつ、内心では自己愛の傷つきを最小化した意識を維持できるのです。例えば学校内では極力目立たないキャラになってしまっている人でも、「2ちゃんねる」「ツイッター」上で尊大な書き込みを繰り返したり、美少年／美少女キャラクターのたくさん出てくるコンテンツを消費して自己愛を充たしたりしていれば、自己愛の傷つきを最小化しつつ自己愛充当を最大化できますから、そうそう心理的にパンクしてしまうことはありません※1。

※1　これは、第4章に書いた自己愛パーソナリティ傾向の顕示型／過剰警戒型のスイッチングにまさに該当する処世術です。

「キャラが強い」人はキャラだけを見ていれば自己愛が充たされるし、「キャラが弱い」人はキャラから目を逸らし続ければ自己愛の傷つきを最小化できる。要は、キャラを媒介物にしてコミュニケーションに終始している限り、どちらの側も、見たいものしか見なくて済ませられるわけです。キャラの向こう側に本来存在するであろう、他者との齟齬や摩擦はキャラを使って最小限に抑えながら、最も都合の良い想像力を互いに温存しあうのが、当世コミュニケーション事情の内実です。

4　「見たいものしか見たくない」インターネットコミュニケーション

こうしたキャラを使ったコミュニケーションの広がりとちょうど時期を同じくして、日本でもインターネットが普及してきました。

もともとパソコン通信やインターネット上のコミュニケーションは、キャラとキャラとのコミュニケーションに親和性をもって始まりました。というのも、特定の話題やコンテンツごとに会議室・掲示板・ホームページといったものが開設され、その特定の話題なりコンテンツなりに興味のある見知らぬ者同士が集まって、コミュニケーションをしていたからです。

その場・そのコンテンツに会話が完結している限り、こうした会議室やホームページでのコミュニケーションは、そこで目に留まる特徴だけがお互いの「キャラ」の全てと映りました。例えば「美少女戦士セーラームーンの掲示板」でコミュニケートしている者同士は、その掲示板での発言内容や発言の傾向だけからお互いを認識しあい、お互いのハンドルネームにキャラを認知していきますが、その掲示板以外のインターネットで何をしているのかや、オフラインで何をしているのかは、わざわざ質問しない限り決して認識されませんでした。

しかし、こうした90年代末~00年代初頭のネットコミュニケーションの場は、悪意を持った書き込み者による誹謗中傷や、たった2、3人の口論で即座に荒れてしまいやすい、儚いものでした。nifty-serveの会議室のように、サービス提供者側が場を管理している場合はまだマシでしたが、個人が運営するインターネット掲示板や2ちゃんねるのような場は、罵詈雑言を延々と書き込まれるとコミュニケーションツールとしての機能がたちまち麻痺してしまったのです。

対して、00年代後半になって普及したネットコミュニケーションのツール、特に後発のソーシャルネットワーキングサービス（ＳＮＳ）は、どれもこうした欠点を克服していました。一例としてツイッターを挙げてみましょう。

ツイッターは、アメリカのObvious社が２００６年からサービス開始したコミュニケーションツールですが、そのリアルタイム性と伝播力の強さのために、テレビや新聞より早く事件・災害を報道したり、各国の大統領選挙にも影響を与えたりするようになりました。一方、このツイッターが「見たいものだけを見る」「見せたいものだけを見せる」ことで自己愛を充たすのにうってつけのコミュニケーションツールとして仕上がっているという、心理学的側面については、あまり注目されていないようにみえます。

パッと見ただけだと、ツイッターはそれほど優れたツールのようにはみえません。一度にできる文字入力が１４０字までに限られ、デフォルトの設定ではお世辞にも多機能とは言いがたい代物です。多機能性という点では、他のコミュニケーションツール（例えばＭＳＮメッセンジャーやミクシィ、Tumblrなど）に比べて相当劣っているようにみえるかもしれません。

ＳＮＳの機能と自己愛

しかし、ツイッターの場合、それは短所ではなくむしろ長所なのです。

１４０字しか入力できないという仕様は「細かなことは表現できない」という短所が伴いますが、と同時に「見たいキャラだけを見る」「見せたくないキャラを見せない」ようにするには好都合です。たかが140字で伝えられるメッセージは限られていますから、そのぶん望ましい「キャラ」を造形するための敷居はかなり下がります。喩えるなら、実物大サイズの画像では欠点のみえる顔立ちの人も、サムネイル画像では美人にみえるようなものです。ツイッターは、この「サムネイル画像の美人」にかなり近い状態を、言語レベルのコミュニケーションでやりとりするのに適した環境を提供しています。

この、キャラの創りやすさと抽象度の高さにくわえて、ツイッターには「フォロー／フォロー解除」「ブロック」といった機能がついており、ユーザー一人ひとりが見たい相手だけを視界に入れて、見たくない相手や気に入らない相手をどんどん視界から外せるようにつくられています。このため、罵詈雑言を浴びせかけてくるような論外の人達だけではなく、ちょっと気に入らない人や、自分にとってメリットのない人をどんどん視界から追い出すことも可能です。本書風に言い換えると、「自己愛を充たすのに役立つキャラだけを集めて、自分の自己愛を傷つけそうなキャラを視界から追い出せる」となるでしょうか。

ですから、自己愛の要求水準の高いナイーブなツイッターユーザーは視界にイエスマンだけをかき集めることもできますし、褒めて貰うために140字でパフォーマンスをしたい人は、悪口をブロックしながら反応や称賛だけを何百人からも蒐集することもできます。ツイッターは、自己愛を充たしながら自己愛の傷つきを最小化できるコミュニケーションツールとしても、非常に高い完成度を誇っているのです。

これがGoogle+、フェイスブック、ミクシィといった、より典型的なSNS然としたネットツールになると、「情報の公開範囲」を設定することで、「この人にはこのキャラを見せる」「あの人には社交辞令のメッセージしか見せない」といった具合に、相手に合わせて見せるキャラを自由自在に使い分けることさえ出来ます。

いずれを例に挙げても、現代のインターネットコミュニケーションにおいては、「よりリアルに・より詳細に他者とコミュニケートするための」ツールより、情報量が少なくて抽象度の高い「キャラ」を介することで「見たいものだけ見て、見せたいものだけ見せて、見たくないものは見ない」ためのツールのほうが、トレンドに合致しているようです。

5 国道沿いにもインターネットにも「誰もいない」

そして「見たいキャラ」だけを見て「見せたいキャラ」だけを見せるコミュニケーションに特化しているのは、インターネットツールだけではありません。私達が過ごす日常生活空間そのものも、「キャラ」は見えても「他人」の見えない空間へと変容しています。

例えば、イオン、ユニクロ、ヤマダ電機などの立ち並ぶ、国道沿いの生活空間を振り返ってみましょう。あの、全国をくまなく網羅しているロードサイドに買い物やレジャーに出掛けた時、果たして、「キャラ」ではない「他人」に出会うということはあるでしょうか。

駐車場に車を停め、イオンに入るとしましょう。自動ドアが開いて、食料品コーナーなり衣料品コーナーなりに向かう。欲しいものを買い物カゴに入れ、レジで会計を済ますまでの間に、せいぜい店員「キャラ」に遭遇することはあっても、「他人」に遭遇することはありません。

かつて、哲学者の東浩紀さんは、著書※2のなかでこうした国道沿いの生活空間を「コミュニケーションできない引きこもりでも買い物ができる空間」と評したことがありましたが、実際、イオンで買い物をする場合もマクドナルドでコーヒーを飲む場合も、旧来的な意味のコミュニケーションは必要なく、ほとんど声も出さずに用を足せてしまいます。自分の手でドアを開け、まず店員に挨拶をするという欧州的な（また日本の商店街でも珍しくなかった）習慣は国道沿いにはありませんし、世間話や金額交渉をする必要もありません。もちろん、その店員の家族背景について知ることもありませんし、自分のプライベートな人間関係について冷やかされることもありません。

従業員の「お客様対応」も徹底的にテンプレート化されているため、店員というキャラに遭遇することこそあれ、その店員キャラの〝なかのひと〟の特質を示すようなものに遭遇することは稀ですし、仮にそういう機会があってもお互いに詮索しないのが国道沿いのマナーです。

※2 『東京から考える――格差・郊外・ナショナリズム』東浩紀・北田暁大（日本放送出版協会、2007）

こうした生活空間の実相を反映してか、私は精神科臨床の内外で、「社交的な場所に出掛けようとすると脂汗の出てくるような引きこもり気味の人でも、コンビニやイオンでならどうにか買い物を済ませられる」という現象にしばしば遭遇します。このことは、国道沿いの生活空間がいかに

「他人」と遭遇する機会の少ない空間なのかを証明しているように思えます。

つまりインターネット空間にせよ国道沿いの生活空間にせよ、私達は「キャラ」に遭うことこそあれ、「他人」に遭うことの最小化された、自己愛を充たしやすく傷つきにくい環境のなかで生きているのです。

もちろんこれは、従来的な意味での「対話」でもなんでもない、めいめいが独りよがりのイメージを膨らませているだけの、他者への想像力を欠いた世界なわけで、考えようによっては荒涼とした孤独の世界ですが、コンテンツも、コミュニケーションツールも、都市空間も、ひたすらそれに適した方向へと進化しつづけてきたのが実情のようです。

ですから、週末のショッピングモールやファーストフード店がどれだけ賑わっていようとも、実はそこには「誰もいない」も同然です。

齟齬や摩擦を回避する最も極端な例――オタク

こうした「見たいものしか見ない」「見せたいものしか見せない」コミュニケーションと生活空間に特化した処世術を形成している人々が、次第に増えてきています。その先駆がオタクでした。

オタクは1990年代前半までは平仮名で「おたく」と表記されることが多く、当時は〝なんらかの分野に異常に執着していて、その分野について高い知識を持っている人〟のことを主に指していました。軍事おたく、アニメおたく、ゲームおたく……いずれの場合も、その分野に趣味の時間の大半を注ぎ込み、その分野のエキスパート的知識を保有しているのが「濃いおたく」で、そうでないと「薄いおたく」「ヌルいおたく」と言われたものです。映画『七人のおたく』（1992）で登場したおたく達も、それぞれの分野のエキスパートでした。

しかし、21世紀になってからのサブカルチャー領域では、ライバルに差をつけられるようなセンスも知的研鑽もあまり重要ではなくなりましたから、オタクもかつてのようなエキスパートではなくなり、アニメやゲームなどのコンテンツを媒介物としてコミュニケーションをしていることが「オタク」の最大公約数的な特徴になってきています。孤高なマニア気質より、アニメソングにあわせて皆で踊る、同人誌即売会でコミュニケーションをする、ネットゲームを皆で遊ぶといった具合に、コンテンツを媒介物にして仲間と繋がりたがる傾向が最近のオタクには優勢です。ドラマ『電車男』（2005）に登場したのは、まさにこうしたオタク達でした。

現代のオタクはオンラインでもオフラインでもコミュニケーションが大好きですが、例えば、特定のアニメを話題にしたオフ会や、特定の動画を話題にしたネットコミュニケーションといった具合に、彼らは必ずと言って良いほどコンテンツを媒介としたコミュニケーションをとります。オタクの祭典として有名なコミックマーケットも、コミュニケーションを一大理念として掲げてはいますが、そこでのコミュニケーションは、基本的には（同人作品や、その元になった原作作品といった）コンテンツを媒介物としたものです。

このコンテンツ媒介型のコミュニケーションは、互いにアニメなりゲームなりの話題にさえ集中していれば、他人の「見たくないもの」を見てしまうことも、自分の「見せたくないもの」を見せてしまうことも、殆ど心配する必要がありません。それでいて、媒介物となるコンテンツとの一体感・趣味仲間として集っている一体感はしっかり得られるのですから、お互いの傷つきを最小化しながら自己愛を充たすには優れた様式といえます。

しかもオタクが消費するコンテンツ自体、擬似恋愛ゲームの美少年／美少女キャラクターのようにノイズを徹底的に取り除いた〝魅力の塊〟ですから、コンテンツのなかで「見たくないもの」に触れてしまうリスクまでもが最小化されています。消費者が求めているのは「少年少女の精緻なリアリティ」ではなく、自らの自己愛を充たすのに好都合で自らの自己愛を傷つけるリスクを最小化した「都合の良いキャラ」だったらしく、そうした目的に合致したキャラクターとコンテンツばかりが市場淘汰を生き残っていったのです。

このように、オタク達の趣味生活は、コンテンツ消費という意味でもコミュニケーションという意味でも、「見たいものだけ見る」「見たくないものは見ない」が徹底していますし、ネットコミュニケーションとの親和性も非常に高いものでした。現在の日本では、こうしたライトなオタクが増えたという以上に、世の中のコミュニケーションやコンテンツ全般がオタク的になった、と言ったほうがふさわしい状況を迎えています。キャラクターコンテンツがゴールデンタイムのCMやパチンコ屋に進出するようになった点でオタク的というだけでなく、めいめいが自分好みのサブカルチャー領域のなかへと没入して、それ以外のことへのコミットもコストも最小限にしながら、「見たいものだけ見て」過ごしているという点が、オタク的だとここでは言いたいわけです。

6　オタクが精神科医になろうとした際に苦労したこと

ここまでを読んで、「別にキャラ同士のコミュニケーションでもいいじゃないか」「見たいものだけ見て・見たくないものを見なくて、何が悪いんだよ」と思った人もいるかもしれません。

確かに、こうした現代風の社会適応は、自己愛の傷つきを最小化しながら自己愛を充たせますし、収入面さえどうにかなるなら、やりたくないことも見たくないことも回避しながら毎日を過ごせるでしょう。しかし、本当にそれだけで良いのでしょうか？

一つの例として、私が精神科医になろうとした時の身の上話をしてみようと思います。

私は学生時代からゲームやアニメが大好きで、バイト先もゲームセンターでした。そんな私の交友関係が、ゲームオタクやアニメオタクに偏っていたのは言うまでもありません。幸い、医学部の同級生のなかにはゲームの話が分かる人もいましたし、なにより、医学部生同士の間では医学の話題が共通コンテンツとして機能しましたから、オタクな私も勉強に支障が出るような事態には至らず、無事に医学部を卒業できました。

ところが医師免許証を貰って、実際に医療活動に参加するようになると、そうもいかなくなっていきました。精神科の研修医ともなれば、当然精神科の患者さんとたくさん会話するようになるのですが、私は患者さんと上手く会話が出来ていない、とすぐ感じるようになりました。今までの私はゲームやアニメや医学といった共通コンテンツに頼ってコミュニケーションしていましたが、まさか患者さんとゲームやアニメの話をするわけにもいかず、何をどう話そうか戸惑うことが非常に多かったのです。

もちろん、患者さんと医者の会話は病気の診断や治療が目的ですから、ある部分では、症状や薬の話が共通コンテンツとして機能しますし、ただ診断しただ薬を出すだけなら、「精神医学オタク」になればそれだけで事足りるのかもしれません。しかし、「うつ病」「統合失調症」といった診断名で括られる患者さんには、それぞれ個別の事情なり背景なりがあるわけで、そういった個別の事情や背景を踏まえた相談をしようと思うなら、症状や薬の話だけでは歯が立たないのです。

症状をただリストアップして「この人はうつ病」「この人は統合失調症」で思考停止するのではなく、異なる職業・異なる性別・異なる世代の、それぞれの患者さんごとの違いを出来るだけ踏まえて治療方針に反映させようと思ったら、ときには趣味に対する患者さんのスタンスを聞いたり、ときには患者さんの職業上の価値観を教わったりする必要がありました。つまり、「見たいものだけ見る」「自分がよく知っている共通コンテンツの話だけする」という、オタク的で現代的なコミュニケーションのやり方では、精神科医はマトモに務まらなかったのです。

幸い、私が選んだ精神科という職場は、コミュニケーションについてたくさんの理論と実践のチャンスを与えてくれました。大学病院や外勤先病院の図書館は理論面を漁る宝の山でしたし、コミュニケーションが下手で常識を欠きがちだった私を先輩達は根気良く指導してくださり、バリエーションに富んだお手本を見せてくれました。多くの人に迷惑をかけ、多くの人の世話になりながら、どうにか私は精神科医として仕事が出来るようになりましたが、これは、たまたま私が精神科という環境を選び寛大な先輩達に出会ったという、運に恵まれた部分もあってのことだと思います。もし私が他の診療科に就いていていたら、今頃は「アニメとゲームと臓器の話しか出来ない医者」になっていたかもしれません。

赤の他人とコミュニケートするという高度なスキル

ここでは精神科医という私の例を挙げましたが、「見たいものだけ見る」「自分がよく知っている共通コンテンツの話だけする」では務まらない職業は、もちろん他にもたくさんあります。個人個人の事情や価値観の違いを踏まえたアプローチが求められる職業としては、例えば保育士、学校教師、ケアマネージャーなどが即座に連想されますが、バーやレストランといった、接客業のなかでも客の個別性を見極めながら会話やサービスを提供するよう求められる業態も、色々な人と色々なコミュニケーションをしなければならないでしょう。そして、異なる国・異なる言語・異なる宗教の人達との商談やプロジェクトをまとめるような仕事も、他人と自分との考え・立場・価値観の違いを踏まえてコミュニケートできる人でなければ難しいでしょう。

つまり、いろんな人とのコミュニケーションを必要とする仕事をやろうと思った途端、「見たいものだけ見る」「見たいものしか見たくない」の外側に出て、赤の他人とコミュニケートしていく技能や姿勢が求められるのです。

さきに触れた「国道沿いにもインターネットにも誰もいない」「コミュニケーションの苦手な引きこもりでも買物ができる生活空間」などは、あくまで客の立場・消費者の立場としての話です。ひとたび立場を変えてサービス提供者の側に回った途端、どんな人にも――それこそモンスタークレーマーも含めた――対応できるコミュニケーションの技能や、多様な価値観を前提とした考え方が求められるのです。これは多分に厄介で、ストレスの溜まりやすい、難しいギャップです。ついていけない人やメンタルヘルスを損ねる人が増えてもおかしくないでしょう。

7 「ネットさえあれば車も恋人もいらない」はホンネか？

では、人間を相手にしない専門職に就けた幸運な人なら、「見たいものだけ見る」「見たいものしか見たくない」を貫いてしまって構わないのでしょうか？

個人にもよりますが、30代の人にはあまり勧められない、と私は思います。

例えば、私達の世代よりもずっと若い世代――生まれながらにネットコミュニケーションに慣れ、初恋の相手がクラスメートではなくライトノベルのヒロインで、結婚して当たり前という価値観からも比較的自由な世代――の人なら、ネットコミュニケーションやキャラクターコンテンツを介して自己愛を充たし続けることに、さして違和感も無いかもしれません。ネットと現実《リアル》との境界が曖昧というよりは、ネットコミュニケーションの感覚でこそ現実を把握するような突き抜けた人にとっては、現実の人間関係を介して自己愛を充たす必要性は殆どゼロに近いと感じられるかもしれません。

しかし私達の世代においては、そこまで自己愛充当をネットコミュニケーションやキャラクターコンテンツに丸投げして足れりとしている人は、ごく少数ではないでしょうか。

なかには、筋金入りのオタクのような例外的人物もいるかもしれません。しかし私達の世代の大多数は、まずネットコミュニケーションありきで育ったわけでもなければ、結婚に対してさほど自由な価値観を内面化しているわけでもありません。例えばツイッターやフェイスブックが流行しはじめてからようやくアカウントを取得して、ぎこちなくスマートフォンを操作しながら一喜一憂しているようなロートルな人達は、従来の価値観や願望から到底自由とも思えませんし、小さなディスプレイの向こう側に「拡張現実」※3を見出すなど夢のまた夢です。

※3　拡張現実（Augmented Reality）：人間が五感を通して把握する情報に、コンピュータを使って追加・改変をほどこすような技術。例えば、スマートフォン越しに街の風景を眺めると視界内の店舗情報が表示される『セカイカメラ』というソフトウェアは、人間の五感だけでは把握できないはずの情報をユーザーに提供していると言えます。

私達の世代が幸せになるためには、結局のところ、私達自身が内面化した、幸せになるための諸々が必要になるでしょう。「クルマが欲しい」「恋人が欲しい」といった願望は、若い世代の、特に急進的な価値観の人達から見れば時代遅れの無いモノねだりにみえるのかもしれませんが、私達がそのような価値観を内面化して育ってしまった以上、ネットコミュニケーションやコンテンツだけで心理的に満足することも、人間関係を完結させることも、すこぶる困難と考えざるを得ません。

そして実際に恋人や配偶者と一緒に過ごすとなれば、「見たいものだけ見る」「見たいものしか見たくない」は通用しません。異性もまた他人、不機嫌な日もあれば、予測できない反応をすることもあります。好き嫌いが自分とは一致しない部分で、お互いに譲り合いや妥協をしなければならないこともあるでしょう。なにも恋人や配偶者に限ったことではありませんが、親密なパートナーシップをつくりあげる際には、相手に「見たい反応だけ見せてくれる」疑似恋愛キャラクターのようなものは期待できませんし、ツイッターのアカウントのように「見せたい自分だけ相手に見せられる」と思うわけにもいきません。キャラやアカウントに依存したコミュニケーションの外側に出なければならなくなるのです。

8 「コンテンツの切れ目が縁の切れ目」でもいいんですか？

もちろんこれらはとても「めんどくさい」ことですし、人間関係の〝しがらみ〟そのものと言えます。ですが、そうしたものの向こう側にしか、長期的で揺るぎのないパートナーシップや、家族や、親子といった人間関係は存在しないのです。もし、あなたがそのような人間関係の欠如に寂しさを感じるというのなら、自分とはなにかしら異なる他人と、長続きするパートナーシップをつくりあげるための心構えなりコミュニケーションの技能なりを身につけるほかないでしょう。

「金の切れ目が縁の切れ目」という慣用句がありますが、コンテンツに依存した人間関係やキャラに依存した人間関係は、「コンテンツの切れ目が縁の切れ目」「キャラの切れ目が縁の切れ目」に陥りがちです。例えばオフ会・イベントで特定のコンテンツの話題のために集まった者同士は、その瞬間は「見たいものだけ見る」「見たいものしか見たくない」コミュニケーションが出来て楽しいかもしれませんが、ただそれだけではすぐ縁が切れてしまいます。そんなことをコンテンツの流行に流されるままに何度も繰り返しながら歳を取っていったとして、30歳、40歳のとき、あなたには一緒にいて嬉しいと思えるような人間関係が、どれだけ残るでしょうか？　キャラというペルソナの〝なかのひと〟も知ったうえで、あなたのことを満更でもないと思ってくれる相手がどれぐらいいるのでしょうか？

それでも若いうちはいいのです。10代〜20代ぐらいのうちは、人間関係を新しく作っては壊しを繰り返すだけの体力もありますし、新しいコンテンツを追い掛けるのに適した瑞々しい感性もあるでしょう。

しかし、あなたは同じことを30代、40代になっても続けられるのでしょうか？　体力的にも衰え、思考が保守化し、新しいコンテンツを追い掛けることに疲れを感じるような年頃になってくると、新しい人間関係を構築するのも、新しいコンテンツを追い掛けるのも、少しずつ大変になってくる筈です。そしてその場限りな人間関係を繰り返しているばかりでは、手元にはなんの縁も残らないのです。

〝しがらみ〟を引き受けること

2010年1月、NHKスペシャルで孤独死の問題をとりあげた『無縁社会～〝無縁死〟3万2千人の衝撃～』が放送された時、私はツイッターをやりながら視聴していましたが、さしあたりの当事者であろう年配世代の人達だけでなく、私達の世代の人間や、私達より若い世代の人達までもが過敏なほど反応していたことに驚きました。つまり、孤独死というワードに過敏反応する程度には、寂しい現代人が沢山いるらしいのです。いつもは賑やかなコミュニケーションが繰り広げられるツイッターのタイムライン上に、孤独に対する思い入れいっぱいの言葉が並び、それがリツイートで拡散されていく風景は、何か物凄い迫力がありました。「ネットさえあればそれで満足」と思っている人は、本当はごく少数なのではないでしょうか。

もし、孤独な中年時代や老年時代を避けたいと思うのなら、「見たいものしか見たくない」コミュニケーションに終始するのではなく、人間関係の〝しがらみ〟をある程度は引き受けた、中～長期的な人間関係をつくるのに適したコミュニケーションを意識してやっていくべきだと私は思います。なにも、結婚して子どもをつくれと言いたいわけではありません。友達同士であっても、同性同士の結婚であっても、別に構わないと思うのです。

ただ、本当に困った時・人に頼らざるを得ない時にも頼りあえるような人間関係や、厳しい社会を生き抜いていくにあたって自分の背中を安心して預けられるような人間関係があったほうが、歳を取った時に生きやすくて心強いんじゃないかと言いたいのです。

ネットコミュニケーション全盛の現代においては、〝しがらみ〟含みの人間関係は、若い世代には定めし人気が無いでしょう。しかし、前記のような長期的な社会適応に根ざして考えるなら、そういう〝しがらみ〟を含んだ「めんどくさい」人間関係をつくるためのノウハウを、若いうちから蓄積しておくに越したことはないと思います。そういった人間関係のノウハウは、ウィキペディアを一読すれば身に付くものでもありませんし、インターネット上のカリスマが授けてくれるものでもありません。ただ地道に、若い頃から、キャラの向こう側にいる生身の他人に思いを馳せること、〝しがらみ〟を敬遠しすぎることなく人間関係を長く育てていくことで身につけられるものだと私は思います。

第6章　コミュニケーションの苦手意識を克服するための技術

本書はここまで、私達の心理に関連した21世紀の現象について書いてきました。ここからは、そんな私達がこれから何をするのが望ましいのか、私達に何ができるのかについて、提言していきたいと思います。

ここでひとつ断っておかなければなりません。団塊ジュニア世代〜ロスジェネ世代に相当する人達は、人生の急転換をするための時間や体力がそれほど残されていません。30代になってくると、若者らしい感性も柔軟性も衰えはじめますし、若い頃なら間違えても恥ずかしくなかったことが恥ずかしくなってくるようにもなります。このため、自己愛の傷つきに敏感な「めんどくさがり」な人達の重い腰は、一層重くなりがちです。

「残されている時間は少なく、急な路線変更は難しくなってくる」――もはや身体的にも時間的にも激しいトライアンドエラーには耐えられない以上、「徹底的に今の自分を変え、別の自分に生まれ変わる」ような目標設定はナンセンスでしょう。

それより、「今までの自分の延長線上として、歳を取った頃の自分の人生をどうデザインしていくのか」「今の自分が持っているものを、どう発展させて未来の自分に手渡すのか」のほうが現実的です。また、思春期の全盛期には考える必要が無かった「これから老いていく自分」をも視野に入れたライフプラニングが必須になってくるでしょう。

1 自称「コミュニケーションが苦手」の内実はさまざま

私達の世代には、「自分はコミュニケーションが苦手」「人間関係が苦手」と思っている人が、かなり多いのではないかと思います。ただ実際には、この自称「コミュニケーションが苦手」な人はさまざまで、とても同列に論じられそうにありません。

例えば、現代社会でサービス業に従事するためには、かなりのコミュニケーションの技能が求められがちです。ときにモンスタークレーマーな人に遭遇したりもしますから、「もっとコミュニケーション上手だったらなぁ」と痛切に感じる機会は幾らでもあるでしょう。私は精神科の外来で、実際には平均以上のコミュニケーション技能を持っている人が、クレーム対応の仕事でボロ雑巾のように打ちのめされて鬱病になり「コミュニケーションが苦手」を自称するに至ったような例に何度か出会ったことがあります。

逆に、サービス業において常に客の立場に終始できる人、モンスタークレーマーな人に直接遭うことの無い人は、平均以下のコミュニケーション技能でも苦手意識を抱えないかもしれません。あるいは、実際には周囲に迷惑をかけているけれども、当人はそれに気付かないタイプの人は、傍目にコミュニケーションが最低最悪でも、当人は「俺はコミュニケーションの達人だ」ぐらいに思っているかもしれません。

また、例えば発達障害のような認知の偏りを含んでいるような人や、パーソナリティ障害のような性格的にコミュニケーションに難を生じやすい人といった、簡単には解決に至りにくい背景を持つ人もいれば、身だしなみやマナーといったＴＰＯの部分を補い、社会経験を積めば挽回しやすい人もいるように、自称「コミュニケーションが苦手」の根の深さはまちまちです[※1]。

※1　加えて、思春期以降にうつ病や統合失調症といった精神疾患にかかってしまった人の場合などは、精神疾患の症状によってコミュニケーションが（大抵は悪いほうへ）修飾されますから、どこまでが素のコミュニケーション技能で、どの程度が病気によって技能低下を呈している部分なのか、精神科医も判別に困ってしまうようなケースもあります。

こうした諸々の自称「コミュニケーションが苦手」を一緒くたに論じることは不可能です。なので本書では、精神科や心療内科で発達障害やパーソナリティ障害と既に診断されている人や、うつ病や双極性障害等と既に診断されている人は原則として対象外とすることを、ここで断っておきます[※2]。それぞれの精神疾患に該当する人は、その疾患の人へのアドバイスに特化した本をまず参考にしたほうが良いと思います。

※2　第４章で触れたように、現代人には自己愛パーソナリティ傾向がありはしますが、病院でパーソナリティ障害と

臨床的に診断されるほどの人は稀です。ちょっと専門的な話になりますが、コフートの自己愛パーソナリティの概念は、現代人の心性全般を扱うには適した概念ですが、ICD-10やDSM-Ⅳといった現代精神医学の診断体系に登場する自己愛パーソナリティ障害の概念は、カーンバーグという別の精神科医がつくった、もっと病的でヘビーな心性を扱うための概念に近いのです。このため、後者に該当する人は、現代日本でもそれほど多くはありません。

また、当人自身はコミュニケーション上手だと思っているけれども実際には周囲が困り果てているような人も、対象外とします。そんな人に「おまえ、コミュニケーション下手だから、上手になるためにこの本読んでみろ」的に勧めたところで、無用の説教と思われるだけです。ですから、現代人としてそれほど標準を逸脱しないメンタルコンディションにあって、なおかつ「私はコミュニケーションが苦手」と思っている人を想定しながら書いていきたいと思います。

2　まず、誰でも出来ることをしっかりやる

まず、あなたは友達に年賀状を送ったり、誰かにプレゼントを贈ったりすることに慣れているでしょうか？　これらは「めんどくさい」ですし、特にプレゼントに関しては、贈り先の人が貰って困らないような（できれば喜んでくれるような）ものを選ぶ必要があります。これらは、短期的な人間関係においてはさほど重要性が高くありませんが、長期的な人間関係を発展させるためにはあったほうが良いノウハウだと思います。挨拶やマナーの類については言うまでもありません。

そして、相手の都合の悪いところからは目を逸らして、見せたいキャラだけを見せ合う（そして見たいキャラという幻想をお互いに期待しあう）ような人間関係も、それはかり熟達するようなライフスタイルは避けたほうが良いと思います。長くて親密な人間関係のなかでは、多面的・多層的な付き合いが不可避です。ですから、都合の良いキャラにおさまらない部分もちゃんと認めあい、許容しあい、それでもこの人と一緒にいたいと思えるような、そういうスタンスがどうしても必要です。

このことは、結婚して子どもが出来てからも当てはまります。子どもは、親とは別の意志を持った人間で、親の理想を投影するための人形ではありません。とはいえ、子どもは親に比べて意志も弱く、親の世話を受けなければ生きていけませんから、親が強引に押し付ければ、「良い子」「素晴らしい子」といったキャラなり幻想なりを精一杯引き受けざるを得ないでしょう。しかしそれでは〝悪しき教育ママ〟と何も変わりません。親の自己愛を充たすための手段として日常的に子どもを操作して気付かぬまま、その子の自発性を摘み取ってしまうような袋小路は、避けるに越したことはないと思います。

ほんのちょっとだけ気持ちよくなってもらう

また、コミュニケーションの技能のなかには〝お辞儀の仕方〟や〝上座―下座〟のように、知っていればすぐ役に立つ知識レベルのものもあれば、複雑な表情の読み取りやユーモアのように、おそらく素養によって左右される、どう身につけたら良いのかよくわからない分野もあります。しかし少なくとも、学習すれば身につくもの・習慣化すれば身につく分野があるのも確かで、そういった確実なところをまず抑えておきたいところです。

例えば爪切り・入浴・洗面といった衛生面でのＴＰＯを守れているか否かも、実は立派な「コミュニケーションの技能」のひとつに数えられます。これらは一見、個人の身体的な快―不快の問題でしかないように見えますが、殆どの人間は、間近な人の清潔状態が悪いよりは良いほうが心地よく感じるので、衛生面をおざなりにしているか否かは、周りの人の心象やコミュニケーションに（微細とはいえ）確実に影を落とします。コミュニケーションを有利にしたいと思っている人にとって、衛生面をおざなりにしていると損をする、というわけです。

いや、「損をする」という考え方は好ましくないかもしれません。そうではなく、「身ぎれいにして、間近な人に少しでも気持ちいい思いをしてもらう」という発想のほうが良いかもしれません。こういう事を今まであまり考えたことの無い人が衛生面に気をつけようとする際、他人の減点にビクビクしすぎるあまり、極端に潔癖になってしまう人がたまにいますが、頑張り過ぎてヘトヘトになってしまうだけです。そうではなく、「間近な人にほんのちょっとだけ気持ちよくなってもらうため」的な、加点法的な気持ちでやったほうが楽だと思います。

同じく、レディーファーストにしても、挨拶にしても、あまりに習慣化・常識化され過ぎているため、いい歳になって身についていないと減点をくらうのが実情ですが、しかし、これらのマナーを義務感だけでやろうとしてもイヤになってしまって長続きしません。それより、「間近な人にほんのちょっとだけ気持ちよくなってもらうため」の習慣や常識が世の中にはたくさん用意されていて、いつでも利用可能・習得可能なんだと思ってやったほうが、まだ長続きするような気がします。

もちろん、挨拶やマナーを守るようになったからと言って、俄かに周りの人が感謝しはじめるわけではありませんし、それだけで評価が好転に至るわけでもありません。けれども、こうした事が身についているか否かや、自分が普段世話になっている人やいつも間近にいてくれる人に対する「ほんのちょっとだけ気持ちよくなってもらいたい」の気持ちの有無は、長い目で見れば人間関係にボディーブローのように利いてきて、きわめて大きな影響を与えると思います。

3　形から徳を積んでみる

しかし、自分大好きっ子にして面倒くさがりな私達が、さしたる見返りも不明なのに「間近な人にほんのちょっとだけ気持ちよく」を続けようと思っても、なかなか気持ちが続きません。だからでしょうか、挨拶もマナーもロクに身につけていないのに高価な服を買い漁って、すぐ評価を向上させようと頑張った挙げ句に失敗してしまうような人を時々見かけます。

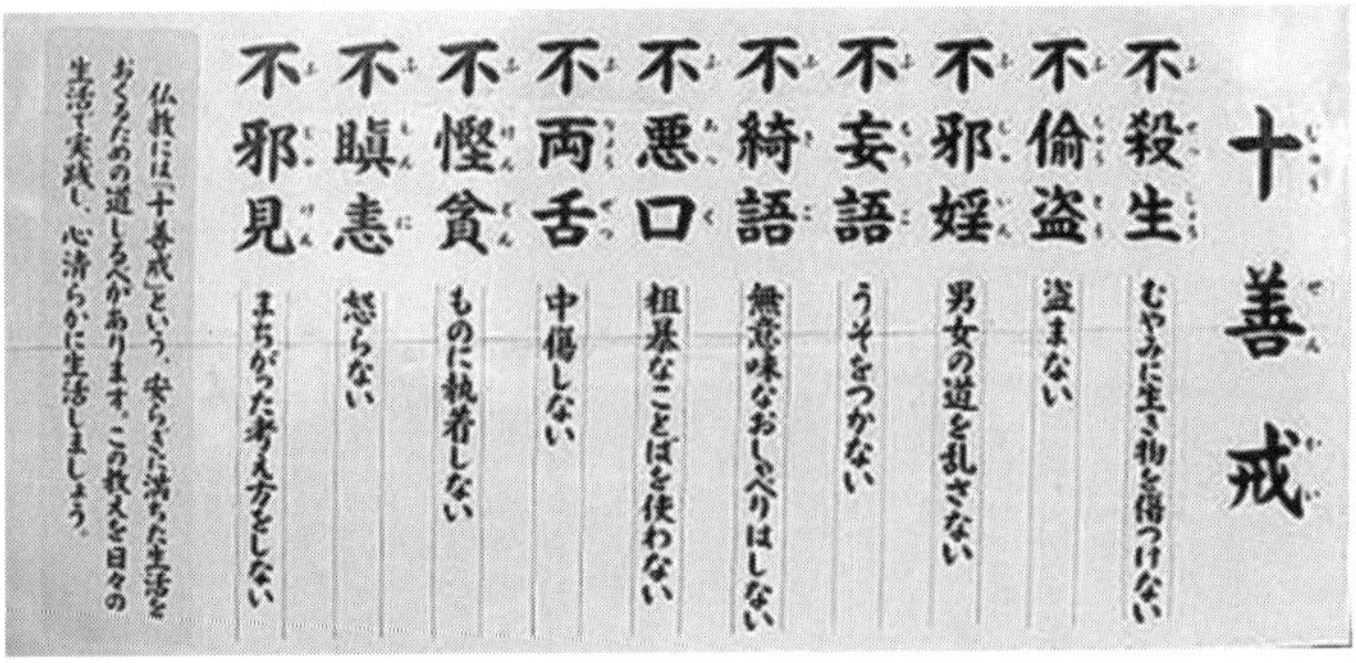

十善戒。大抵の宗教にはこうした信徒向けの戒めが用意されている。

確率を「ゼロにする」ではなく「下げる」

なら、どうすれば良いのか——そこでお勧めしたいのは、なにか適当なルール・戒律をもうけて守ってみることです。私個人の場合はたまたま仏教に縁があったので、仏教の十善戒という戒めを意識していますが、キリスト教や他の宗教にもあるでしょう。もちろん宗教以外の戒めやルールでも構いません。

こうした戒めの特に優れている点は、それを良いルールと信じ守ろうと勧めている限り、自分自身の心の中が別段美しくなっていなくても、自動的に他人への思いやりや配慮を重視するスタンスになりやすく、他人に嫌われたり他人を不快にさせたりする確率を下げやすい、という点です。ポイントは、「確率をゼロにする」ではなく「確率を下げる」を目指す点です。

真面目に宗教をやっている人からは怒られてしまうかもしれませんが、私も含めた世の中の大半の人間は浅ましく出来ているので、こうした戒律をきっちり守るのは無理です。守れてせいぜい半分〜7割程度ぐらいじゃないでしょうか。昨日までインターネットで「他人の不幸でメシウマ」と叫んでいた人が、明日から聖人になれるなんて事は無いのです。しかしそんな浅ましい私達でも、どうにか頑張って半分くらい戒律を守っていれば、不用意に悪口を言ったり迂闊に口を滑らせて誰かを敵に回したりといった頻度を半分に減らせるわけで、その程度でもたいしたコミュニケーション上のテクニックだと思いませんか。

軽率な発言をして人を傷つけてしまうような事態は、私達が人である以上、これを完全回避することはできませんし、自分が誰かを傷つけてしまうことも、誰かに傷つけられてしまうこともあるでしょう。しかし、不完全ではあっても、軽率な発言を少しでも減らし、間近な他人のそうした行動に対して寛容であろうとすることは、小手先ばかりの会話テクニックより、よほど長期的には人間関係を左右します。そして、最初のうちは「まず形から」な戒律重視であっても、5年、10年と遵守していくうちに、自分自身の意識や価値観にも少しずつ影響があるかもしれません。

遵守率は5~7割がおすすめ

ただし、こうした「まず形から徳を積んでみる」には注意点もあります。

特に注意しなければならないのは、一体どこのどういう戒律を選ぶのか？　という点です。世の中には、神道や仏教やキリスト教以外にも大小さまざまな宗教があります。また、宗教以外にも、戒律に相当するものを説いている人・団体は沢山あるでしょう。戒律やルールをそれなりに遵守しようと思ったら、自分がリスペクトを払えそうな宗教なり集団なり人物なりのものを選ぶ必要があります。その際、例えばカルト宗教や自己啓発セミナーの教祖に心酔してしまおうものなら、マインドコントロールを受けて操り人形にされる可能性も否定できません。そうでなくても、リスペクト先の宗教や教祖との一体感を求めすぎるあまり、極端に戒律を守りすぎると、今度は宗教原理主義的な人物になってしまって、対人関係の足枷になってしまいかねません。

これも真面目な宗教者の人から怒られそうですが、私が戒律やルールをお勧めするのは、熱心な信者になってもらいたいからではなく、あくまでコミュニケーションの技能のひとつとして便利だからです。そういう意味では、熱心に信心すぎるのも考え物で、5～7割くらいの遵守率ぐらいがかえってちょうど良いと思います[※3]。戒律をリスペクトしつつ、極端に束縛されすぎないぐらいの距離感を保っておいたほうが、たぶん危なくありません。

※3 コフートの理論で言うと、リスペクトできる戒律を提供してくれる先は、心理的には「②理想化自己対象で自己愛を充たす」機能をも提供します。この際に、宗教なり指導者なりに対する要求水準が高すぎるような、自己愛パーソナリティ傾向の強い人は、対象を過剰なまでに理想化して熱心すぎる信者になってしまうか、対象のほんのちょっとの不備や欠点に失望してしまう可能性が高いと思われます。

それと、見ず知らずの相手に自分の戒律を押しつけるようでは、「宗教の押し売り」と思われてしまうかもしれませんし、善良な行動指針を無制限に示せば、誰かにつけ込まれて食い物にされる危険もあります。攻撃的な相手・悪意や害意を持った相手に対してまで「徳」を示そうとすれば、ひどい目に遭いかねません。それなりフレキシビリティをもって運用する必要があると思います。

4　5年・10年単位で自分のことを考えてみよう

ここまでを読んだ人のなかには、「コミュニケーションの技能とは言えないものばかりじゃないか」「こんな気の長いことはやっていられない」と思った人もいるかもしれません。実際、私は「コミュニケーションがすぐ上達する方法」的なまやかしめいたものを書くつもりはありません。単に「コミュニケーションの技能が即座に向上したような気分」を欲しがっている人や、短期的なコミュニケーションのなかで「モテる」ノウハウを欲しがっている人は、適当なライフハック本を読んだほうがいいと思います。

そもそも、せっかちにコミュニケーションの技能向上の結果を求めてしまうということ自体が、コミュニケーションの技能向上にとって大きな障害だと私は思うのです。本来、人間の技能の大半は「桃栗三年、柿八年」みたいなもので、種を植えたらすぐに結果が出るようなものでは無い筈です。コミュニケーションの技能にしてもそうで、速やかにコミュニケーションの技能が身につかないと気が済まないというのは、柿の種を植えた翌日に柿の実がなっていないと気が済まない、というのと同じぐらいせっかちで、不毛なことだと思います。

ですから、せっかちにしか自分自身の努力や結果を眺められない人達は、コミュニケーションについて知識をインストールする前に、まず、その短いスパンでしか自分について考えられないこと、せいぜい一週間後の自分ぐらいまでしか想像できないことを、なんとかすべきでしょう。

そういう人は、勢い、人間関係も短期的なものばかりになりやすく、コミュニケーションの技能も、それ以外の仕事やプライベートのスキルアップにしても、長期的なノウハウ蓄積が必要そうなことはロクに身につけられません。これは、生きていくうえで大きなハンディです[※4]。

※4　こうしたハンディは思春期の前半〜中盤にはまだ目にみえません。というのも、この年齢の頃は長期的なノウハウ蓄積が始まったばかりなので、それを意識してやっている人と全く意識できていない人との差がさほどついていないからです。むしろ思春期の中盤ぐらいまでは、短期間で身に付く知識・スキル・人脈をかき集めている人のほうが、華やかに・上手くやれているようにみえるかもしれません。

世の中には、生まれつきコミュニケーションの技能に恵まれて育つ人もいて、そういう人は放っておいてもコミュニケーション上手になっていくでしょう。しかしそうでない人が意識してコミュニケーションの技能を向上させようと思ったら、やはり、5〜10年単位で自分自身を見守るようなスタンスが必要です。

まずは自分が求めること

あるいは人間関係にしても、「今、この場で一番楽しい仲間づくり」だけを求めるのと「5〜10年後も一緒にいられるような仲間づくり」を意識するのでは、最適な振る舞い方・最適な仲間は、かなり異なります。今、この場の楽しさだけを追求するなら、最近会わなくなった人に年賀状を出そうとか、高校時代の友達のところにたまには会いに行こうとか、そういう発想は切り捨てて構いませんが、そのぶん友人関係の維持効果もなくなってしまうでしょう。

男女交際に関しても、「今、一緒にいて楽しい異性」という視点だけで異性を見るのと、「長い目で見て親密で力強いパートナーシップを構築できる異性」という視点で見るのでは、異性の魅力も、異性の選び方も、異性へのアプローチも、全然違ってくると思います。類は友を呼ぶとも言いますが、「今、一緒にいて楽しい異性」を求める人のもとには、「今、一緒にいて楽しい異性」が集まるものです。そういう男女関係は、もちろんその瞬間は最高に楽しいかもしれませんが、「長い目で見て親密で力強いパートナーシップを構築できる異性」に出会うには向いていなさそうです。〝類は友を呼ぶ〟という諺の意味深さを思うにつけても、長期的なパートナーシップを異性に求める際には、まず長期的なパートナーシップを求める自分自身になったほうが望ましいと思います。

5　ネットコミュニケーションをリアルに活用するには

ただ、職場も住まいも流動的になりやすい現代社会では、いざ長期的な人間関係をつくろうと思い立っても、職場や居住地周辺では意外とチャンスが少ないことがあります。派遣社員や期間工の場合はもちろん、大企業の正社員の場合でも、配置換えや転勤によって人間関係がリセットされる事がたびたびあります。昔の地域社会と同じ発想で人間関係のネットワークをつくろうと思っても、巧くはいきません。

そこで活用したいのが、インターネットを介したコミュニケーションです。幸い、よほどの僻地でもない限りは高速回線が使えますし、ＰＣやスマートフォンもすっかり普及しました。ソフトウェア面でも、ミクシィやフェイスブックのようなＳＮＳに加えてスカイプのようにリアルタイムの音声／動画通話ができるツールが揃っています。

現に、こうしたネットコミュニケーションを積極的にやっている人はたくさんいます。高校や大学時代の同級生とのやりとりをＳＮＳでやっている人はもう珍しくありませんし、単身赴任の父親も、家族とテレビ通話できるようになりました。これらの通信手段は、仕事や住まいが移ろいやすい現代人同士を繋ぐ手段としては手紙や電話より気軽で、さほど高価でもなく、ある程度まではリアルタイム性を伴っています。

ネット的作法と従来的作法の組み合わせ

ただし、こうした通信手段もアカウントさえ取れば良いというものではなく、幾らかの時間をかけなければ繋がりが繋がりとして成立しません。時間をかけすぎたり、相手の反応を期待しすぎたりするのも考え物ですが、何も書かない／何も閲覧しない状態を続けては縁が切れてしまいます。

それでも、face to face なやりとりに比べれば、ネットコミュニケーションは時間的／情緒的コストが少なめで、適度な距離感を持って付き合いやすいと思います。

また、長期的な人間関係は学校や職場から始まるとも限りません。話題の幅が比較的広く、オフ会のような face to face のやりとりを一定以上伴っているネット上の付き合いは、従来の人間関係と遜色無いところまで発展することがあります。現に、私の周りにも、ネットが縁となって結婚した夫婦や、ネットを主軸に長い付き合いを続けている友人がいます。

第5章でも触れたように、ネットコミュニケーションの〝最初の出会い〟は、キャラやコンテンツに強く依存した形になりがちです。しかし、そこからお互いの〝なかのひと〟を少しずつ知り合えるようなコミュニケーションが持続し、オフ会なども交えていけるような場合は、話は変わってきます。当初の話題が一段落してからも興味を持ち合える者同士なら、以後もコミュニケーションを続けていけるか模索してみる価値があると思います。

このあたり、オンライン上の出会いも、従来のカルチャークラブやスポーツクラブ等での出会いも本質的には変わらないのかもしれません。どちらの場合も、コンテンツや共通話題を越えた範囲に付き合いが広がっていく人とは、長い付き合いが生まれる余地があります。

6　今更セックスを急いでもしょうがない

そうやって人間関係を育てていくうちに、新たに異性と親しくなっていく人もいるかもしれません。現在は初婚が40歳50歳でも別に不思議はありませんし、男女の仲に遅すぎるなんてことはない

表6－1　年齢別にみた未婚者の性経験の構成

	年齢	性経験なし						性経験あり					
		第9回調査（1987年）	第10回（1992年）	第11回（1997年）	第12回（2002年）	第13回（2005年）	第14回（2010年）	第9回調査（1987年）	第10回（1992年）	第11回（1997年）	第12回（2002年）	第13回（2005年）	第14回（2010年）
男性	18～18歳	71.9%	70.9	64.9	64.2	60.7	68.5	24.3	25.1	31.9	33.3	31.5	26.0
	20～24歳	43.0	42.5	35.8	34.2	33.6	40.5	52.7	54.8	60.0	60.1	57.5	56.3
	25～29歳	30.0	24.8	25.3	25.6	23.2	25.1	66.6	71.3	70.6	69.3	66.0	71.7
	30～34歳	27.1	22.7	23.4	23.4	24.3	26.1	68.3	72.3	71.3	71.0	64.3	69.9
	総数(18～34歳)	43.1%	41.5	35.7	35.3	31.9	36.2	53.0	54.9	60.1	59.8	58.2	60.2
	参考(35～39歳)	－	26.4	26.1	24.8	26.5	27.7	－	70.1	70.4	69.4	64.8	68.8
女性	18～18歳	81.0%	77.3	68.3	62.9	62.5	68.1	17.4	20.7	28.2	32.3	31.8	28.1
	20～24歳	64.4	53.0	42.6	38.3	36.3	40.1	31.9	42.0	52.0	55.7	54.2	54.9
	25～29歳	53.5	44.4	34.1	26.3	25.1	29.3	40.0	46.7	58.3	64.8	60.4	63.4
	30～34歳	44.4	40.9	28.8	26.6	26.7	23.8	38.8	49.8	61.3	62.8	55.0	68.2
	総数(18～34歳)	65.3%	56.3	43.5	37.3	36.3	38.7	30.2	38.3	50.5	55.4	52.1	55.3
	参考(35～39歳)	－	41.3	30.9	28.4	21.6	25.5	－	48.6	57.0	61.6	56.9	64.4

注：対象は18～34歳の未婚者。客体数：第9回（男性3,299、女性2,605）、第10回（男性4,215、女性3,647）、第11回（男性3,982、女性3,612）第12回（男性3,897、女性3,494）、第13回（男性3,139、女性3,406）。性経験不詳の割合は構成比には含むが掲載は省略。
設問：「あなたはこれまでに異性と性交渉をもったことがありますか。」（1.ある、2.ない）。
ただし、第13回の調査の選択肢は、1.過去1年以内にある、2.過去1年以内にはないが、以前にはある、3.ない。
（出典）国立社会保障・人口問題研究所による第14回出生動向基本調査より

でしょう。

　しかし世の中には、〃性体験は早く経験しておかなければならない〃的に考えている人が意外といます。特にトレンディドラマ全盛期の恋愛観を吸い込みながら育ってきた私達の世代においては、そうした〃（恋愛にもとづいた）セックスをしていない人は人にあらず〃的な価値観を内面化している人が多いように見受けられます。そういう人の場合、20代までに恋愛体験をしていなかったことが心理的障壁と感じられるかもしれません。

　ですが90年代ならいざ知らず、これは今となっては時代遅れな固定観念です。国立社会保障・人口問題研究所の調査によれば、２０１０年の時点で30歳～34歳の未婚男性の26・１%、未婚女性の23・８%が性体験を持っていないそうです。30代で性体験が無い人は今では珍しくなく、昨今のバレンタインデーやクリスマスの盛り下がりぶりや、性体験にさほど積極的でもない若年世代の動向を見るにつけても、恋愛やセックスを急かすような価値観を抱え続けてもしょうがないと思います。

なにより、人生の歩みは十人十色なのですから、恋愛やセックスが早かろうが遅かろうが、本当は個人の自由である筈です。現代の男女が出会って仲良くなるチャンスは、その人のライフスタイル・選んだ学業や職業などによって左右されがちです。思春期の前半～中盤を、勉学やスポーツ活動に費やす人もいるでしょう。

もし、あなたが異性以外の何かに情熱を注ぎ続けて三十路を迎え、それまで性体験や恋愛経験が無かったとしても、本当は全然構わない筈なのです。もし、30代以降になって良縁が芽生えそうな場合、知識面は書籍やネットで調べれば十分間に合いますし、その際、自分が恋愛体験に乏しいことを隠すよりは「私は、これこれに情熱を注いで思春期を過ごしていたから、男女のことはまだ不器用なんだ」とどこかで表明すればいいと思います。隠したところでどうせ相手にはすぐバレるんですから、隠そうとしてバレるよりは、むしろ恋愛経験が乏しい理由をできるだけ上手に表明してしまったほうが気楽だと思います。

ただしその際には、「これからあなたとの関係のなかでコミュニケーションを良い形にもっていけるようにしたいと思う」的な、遅れた時計の針を自分なりに進めていく気持ちを表明したほうがいいかもしれません。第3章で紹介した〝ダメな俺を全部受け容れてくれ症候群〟的な打ち明けがNGなのは言うまでもありません。

ただし、異性の側が「性体験／恋愛体験の無い相手はお断り」と思っている可能性はゼロではありません。そういう意味では、年齢相応の恋愛経験があったほうが有利な部分は否定できません。しかし、それならそれで、そういう異性と判別できた時点でスッパリ諦めてしまえば良いのです。異性を選ぶ評価基準として性体験や恋愛体験の豊富さを重視する人とは、どのみち上手くいかないでしょうから。

なにより肝心なのは、恋愛やセックスの手練手管ではなく、「この人と良い関係をつくっていきたい」「この人に気分良くなってもらいたい」という気持ちを異性に対して持てるのか、持ち続けることができるのかのほうだと私は思います。そういう意味では、同性との親密で配慮しあえるコミュニケーションに慣れているような人のほうが、モテるに任せて自己中心的な恋愛遍歴を重ねてきた元美少年／元美少女の類より素敵なパートナーシップに近いのではないかと思います。

7　モテ期が来てもご用心

逆に言えば、20代半ば〜30代になって急にモテはじめたとか、異性と付き合いやすくなったという人も、自分本位な男女関係を繰り返してばかりでは、生涯を共に過ごせるようなパートナーには恵まれませんよ、ということでもあります。

世の中には、10代～20代の頃は全く異性に関心を示されなかったのに、三十路あたりから俄かにモテはじめ、若い恋人をとっかえひっかえできるようになったという人が案外います。「モテ期」の到来とでも言いますか。むろん、全ての三十路男女がそうなるわけではありませんが、それぐらいの歳になれば学生時代より経済的に自由が利く人も出てきますし、今まで自信の無かった人が、仕事や社会経験を通して少しずつ自信を身につけはじめる場合もあります。そうでなくても、人生経験やコミュニケーションのノウハウを長く積んでいるぶん、年下の異性とのやりとりではイニシアチブが取りやすいかとは思います。

こうした「モテ期」が到来すると、嬉しくなって舞い上がってしまう人もいるようですが、私は、ある程度歳を取ってからの「モテ期」は注意深く扱わなければならないと思います。

一つには、今更モテても先が長くない、というのがあります。30代になってから、若い娘をとっかえひっかえしたり、かわいい男の子を愛玩したりすれば、寂しさも紛らわせられますし、「①他人を介して自己愛を充たす」が充たされるかもしれません※5。しかし、カネにものを言わせて愛人を囲える資産家ならともかく、そうでもない人の場合、「モテ期」はそんなに長く続きません。

※5　なかには、自分が失いかけている若さと潤いを持った異性を理想化して、「②理想の対象を通して自己愛を充たす」経由で自己愛を充たしている人もいるかもしれません。

なぜなら、社会経験／経済面でのアドバンテージと、年齢的／心理的に思春期前半に近いというアドバンテージが両方揃っている時期は、それほど長くはないからです。前者のアドバンテージは若すぎれば得られませんし、後者のアドバンテージは歳を取りすぎれば失われてしまいます。両方が揃ってはじめて30～40歳に「モテ期」が成立しているような人の場合、若い異性の尻ばかり追いかけているうちに、いつしか「モテ期」が終わって愕然とするかもしれません。異性があなたのどこに惹かれているのかにもよりますが、もし、あなたがモテている理由の一端に若々しさが含まれているとしたら、その魅力はまもなく失われるという前提で「モテ期」について考えなければならないと思います。

二つには、短期的な男女交際ばかり熟練していると、中期～長期的な男女交際のノウハウが得られない、というのもあります。モテに任せてとっかえひっかえばかりしていると、年下の異性を誘惑するノウハウや、後腐れなく別れるノウハウばかり上達してしまいます。しかし、そんなことばかり板につくようでは、一人の異性と長期的に暮らしていくためのノウハウや心構えが育たないどころか、時間をかけて信頼と親密さを育て上げていくことが困難になっていくかもしれません。

年下の異性は変化の途上

それと、年下の異性には長期的なパートナーシップをつくる準備がまだ整っていない人が多い、という点にも注意が必要です。20代前半ぐらいのモラトリアム全盛期の人は、これから自分が何者になり、どんなライフスタイルを採るのか、まだはっきりとは決まっておらず、何事につけても取捨選択の真っ最中であることが多いものです。ということは、（その若い異性から見て）現時点で最良のパートナーと感じられるあなたも、取捨選択の対象になり得るということですし、これからの彼／彼女の変化次第では、最良のパートナーではなくなる可能性もある、ということです※6。

そんな若い異性を、結婚にかこつけて無理矢理引き止める手もありますが、飛び立とうとする鳥を無理に籠に閉じ込めても、それはそれで将来に禍根を残すことになるでしょう。年下の異性と結婚したけれども、すぐに相手の心が離れていった……というリスクが若い異性には多分に潜んでいるので、「モテ期」に任せて大幅に年下の異性と結婚する際には気をつけたほうが良いと思います。

※6　アイデンティティという言葉の生みの親である心理学者のエリクソンは、男女の仲についてちょっと気になることを言っています。曰く、思春期まっただ中の恋愛は、自分自身のアイデンティティ追求の手段になりがちで、本当の意味で親密な男女関係が形成されるのは、ある程度アイデンティティが確立した後、というのです。エリクソンは「本当に二人になること true twoness の条件は、一人ひとりがまず自分自身にならなければならないことにある」とも書いています。

私は、「モテ期」が到来すること自体はとても良いことだと思っています――思春期の前半には異性に見向きもされなかった人が、20代後半以降に異性を惹き付けるようになったということは、それだけ蓄積なり成長なりがあったのでしょうし、日頃の積み重ねが実を結び始めたということでしょう。けれども「モテ期」が来たからといって、未来永劫モテるわけではありませんから、その好機に誰とどんな交際をしていくのか、どういうノウハウを自分自身の内に蓄積していくのかが、

「モテ期の遺産」を未来の自分に託せるかどうかの分水嶺になると思います。

「モテ期」が終わった後、自分の傍らにどんな人がいて、どんなパートナーシップを営んでいるかも、想像してみて欲しいと思います。

8　パートナーシップとはなにか

そもそも、夫婦関係のようなパートナーシップとはどういうものでしょうか。

世の中には、自分の快楽や自由時間を増やすことだけに夢中な男女がたくさんいます。しかし、そんな風に自分のためだけに異性を利用していては越えられない境地があるように私は思います。

例えば、自分より立場の弱そうな異性を見つけてこき使うような男女関係でも、短期的にはメリットが大きいかもしれません。ただ、そういう搾取的な関係では、パートナーに背中を預けて安心できるような信頼関係は得られないでしょう。しかも、あなたに搾取され続けている限り、パートナーは自分自身を成長させる機会に恵まれないので、10年経っても20年経ってもたいして伸びません。相互信頼やパートナー側の成長まで含めて考えるなら、パートナーを搾取するような男女関係は、長期的にはメリットが大きくないと思います。

それより好ましいのは、お互いが信頼しあいながら、助け合ったり弱点を補い合ったりするような関係です。熱愛中のカップルのようにお互いに夢中になっている段階や、セックスフレンドのように性的な欲求を充たしあうためだけに関係が限定されているものは、まだパートナーシップとは呼べません。そうではなく、テニスのダブルスのような協力関係が、人生の幅広い領域で続いていく状態こそがパートナーシップという言葉に相応しいと私は思います。

テニスのダブルスでは、それぞれのプレイヤーが「私のほうがたくさん得点したい」「私のほうが目立ちたい」と自分自身のことだけ考えて行動していたら、ペアはまともに機能せず、勝てる試合にも勝てないでしょう。「さっき私がコートの端から端までボールを取りに行ってくたびれた。だから今度はあなたがコートの端から端まで走って奉仕しなければ許さない」的な発想をしていてもダメです。自分の都合や欲求だけを優先するのでなく、ペア全体の都合を優先し、ペア全体の達成を喜びあえなければ、強いペアにはなりません。このことは、二人同時にプレイする大抵のスポーツやゲームにも当てはまります。

「背中を任せられるパートナー」を見つける

ところが、この、スポーツやゲームでは当然とみなされていることが、恋人関係や夫婦関係になると不思議なほど忘れられがちです。「私のほうが目立っていなければ気が済まない」「私のほうが奉仕しているのが気に入らない」的な、二人バラバラのシングルスをやっているような夫婦は珍しくありませんし、お互いの要求が嵩じた挙げ句、離婚に至る夫婦もいます。しかし、そうやって自分のメリットを追求しあうだけでは、お互いの総幸福量は下がってしまいますし、二人がかりでなければ出来ないことも達成できないでしょう。

人は、自分が一番かわいいと思う生き物ですから、いつでも協力しあえるとは限りません。自分自身のアイデンティティ探しに忙しい頃は特にそうでしょう。しかし、もしあなたに自分の周りを見る余裕ができはじめているなら、パートナーのメリットや成長、そしてカップル全体のトータルメリットについても考えてみて欲しいと思います。例えば「自分が一時間費やすことでパートナーの時間が一時間半浮いた」時に一時間損したと考えるのでなく、「自分とパートナーを合わせれば30分時間を節約できて良かった」と感じられるようになってはじめて、二人別々のシングルスを超えるメリットを共有できるようになるのではないでしょうか。

私が考える理想的なパートナーシップとは、緩やかな一体感をお互い感じあいながら、二人の時間的・金銭的・心理的メリットが大きくなるよう協力しあって苦楽を共にしていけるような関係です。そして時間を経ても信頼が磨り減っていくことなく、お互いの成長機会を尊重しあえるような関係です。

こういうパートナーシップは、異性を搾取しようと思っていない者同士が信頼しあってはじめて成立するものですから、あなた自身が自分本位に傾きすぎていないだけでなく、自分本位に傾きすぎていない相手に巡り会って、しかもそういう相手に惹かれなければ成立しません。ということは、信頼して背中を任せられそうなパートナーとの出会いはとても重要だということです。美人は見ればすぐにわかりますし、年収も肩書きを見れば見当がつくかもしれませんが、「背中を任せられるパートナー」は、見てくれや肩書きではわかりません。

そういう意味では、信頼できるパートナーは高収入の男性や絶世の美女を見つけるより難しいかもしれませんし、稀少かもしれません。ですが、人間をルックスや収入だけで評価するのでなく、長期的な信頼関係という視点でまなざす習慣ができている人は、そうでない人よりは「背中を任せられるパートナー」を見つけやすいかもしれず、案外、間近なところにそのような人が見つかるかもしれません。

9 自分に嘘をつかず生きていくには

以上、コミュニケーションや人間関係について、中期〜長期的なビジョンに基づく手法を幾つか紹介してみました。本当は細かなtipsも書きたかったのですが、各論的なことを書き始めるときりがないので、ここでは一番肝心なポイントだけふり返っておきます。

①自分自身の成功／失敗にしても、友達や異性とのコミュニケーションにしても、短期的な目線で評価・判断するだけでなく、長期的な目線でも評価・判断してみること
②日頃の小さな積み重ねが、長い目で見れば人間や人間関係を大きく変えていく。そのことを踏まえて、できる限り望ましい行いを積み重ねていくこと

③そのためにも、利用可能な習慣・マナー・ルールは無理の無い範囲で取り入れて、束縛されすぎない程度に身につけてみること

いずれも、既に身につけている人からみれば当たり前の処世訓かもしれません。しかし世の中には、自分が年老いた頃のことはもちろん、5年先や10年先のことさえ考えず、せいぜい1ヶ月～1年程度のスパンでしか自他のことを計画/評価ができない人がたくさんいます。そういうせっかちな未来射程距離でしかモノを考えられない人にとって、一年以内に成果が出せないやり方は役立たずと映るでしょうし、短期間で成果の出なかった努力は無駄と感じられるでしょう。

しかし、コミュニケーションの技能向上にしてもパートナーシップにしても、短期間で成果が見えることなど、大体たかがしれています。〝雨垂れ石を穿つ〟という諺の似合うような、時間をかけてゆっくり変化していく必要のある分野で成果を得たいなら、まず、長期的な積み重ねを蔑ろにせず、長い目で自分自身をまなざすような心構えが必要になります。

自己欺瞞で未来を潰すな！

その際しばしば問題になるのは、自分の欲求や願望がすぐに満たされない葛藤を避けるために、自分自身に嘘をついてしまうか否かです。

第3章で防衛機制という心のメカニズムについて説明しましたが、人は、自分の欲求充足やス

トレス解消がすぐにできそうにない時、「酸っぱい葡萄」「めんどくさい」「寂しくなんかない」といった具合に自分に嘘をついて葛藤を避ける生き物です。この心のメカニズムそれ自体は生きていくのに必要ですし、否定されるべきものでもありません。しかしこうした自己欺瞞は、今この瞬間のストレスや葛藤を回避するには最適でも、中期〜長期的な社会適応にまで配慮して作動するわけではないので、防衛機制で葛藤に蓋をするばかりでは、その分野の進歩や解決はいつまでも先送りされてしまいます。

ということは、男女関係にせよ、コミュニケーションの問題にせよ、強すぎる自己欺瞞が働いて「欲求なんて存在しない。だから問題も存在しない」という態度に終始している限りは、本章で書いたことの大半は実践できないということです。コミュニケーションに苦手意識を持ち、改善させたいと意識している人なら、身だしなみやマナーに気を遣おうとも思えるかもしれませんが、「一人でも寂しくない。コミュニケーションの問題など存在しない」と思い込んでいる人は、何もしようとせず、ずっとそのままでしょう。極端に孤独耐性の高い人がそう思っているぶんには構わないと思いますが、本当はコミュニケーションを求めているのに孤高を気取っている（そして実際にはインターネット等を介して他人の反応を求めてやまないような）人が「寂しくなんてない」と思い込み続ける場合は、解決に至ることのない自己欺瞞をいつまでも続けることになります。

結局、自己欺瞞としての「めんどくさい」にしても「寂しくなんかない」にしても、短期的なストレス回避には最適でも、中〜長期的にみれば最適とは限らないのです。なにより、問題を無いものとみなしてしまうせいで解決が棚上げされてしまい、その分野でのノウハウ蓄積や進歩が停滞してしまうのがいただけません。

もし仮に、あらゆる事が手遅れで、この先永久に欲求が充たされないと予見できているなら、自分を欺し続けたほうが良いかもしれません。しかし、どうしてそんなに簡単に未来のことを読み取って、永久に欲求が達成されないと決めつけられるのでしょうか？

最も賢い人達でさえ、未来の自分が誰とどんな暮らしをしているのかを予測するのは困難なものです。にもかかわらず、せいぜい1年単位でしか自他の努力や成果をまなざせないような人が、未来の自分の可能性を断定して憚らない――そんな、いかにも自己欺瞞っぽい早合点に未来を託してしまって良いのでしょうか？　その人自身の運命が既に決まっているというより、そういった決めつけこそが、未来の可能性のささやかな芽を踏みつぶしてしまっているのではないでしょうか。

私達の世代ぐらいの歳になれば、後戻りがきかない部分があるのも事実です。その一方で、プライベートな人間関係を含めた多くのことはまだ決まり切っておらず、実際には一年先の未来すら、人間には予測しきれないのです。多くのことが決まり切っていないということは、未来にはまだ可能性があり、これからの行動の積み重ねによって迎える景色が変化するということです。

もちろん、予測や願望ぴったりの未来が迎えられることはまずありませんし、すべての努力が報われるわけでもありませんが、とにかく、自分自身の未来がこれからの振る舞いや積み重ねによって左右されるということだけは確かです。そんな未来の可能性を、その場凌ぎの自己欺瞞で潰えさせてしまうのは、私はもったいないと思います。

第7章　私達の義務と責任
――次世代に何を残せるのか

第6章では、個人単位で問題を解決していく方法について紹介しました。対して第7章では、ミクロな個人ではなく、マクロな社会に対して私達に何ができるのか・何を為すべきなのか考えてみます。

例えば、現代の子育ての常識について、ちょっと疑ってみましょう。

現代のニュータウンで生まれた子どもは、昔よりも自発性の育ちにくい空間と遊びのなかで育てられます。短い育児休暇の終わった父親が職場に戻った後は、養育や教育を実質的に引き受けているのは母親一人、という家庭がまだまだ多いのが現状です。そして、子育てに馴染めない・子育てをする心の準備の出来ていない親元に子どもが生まれると、児童虐待やネグレクトまで事態が飛躍してしまうケースが後を絶ちません。

これらは、21世紀の日本においては常識的な風景ですし、児童虐待やネグレクトはともかく、それ以外については多くの人が「仕方ない」と思っているものだと思います。しかし19世紀のイギリスやアメリカにおいて、子どもが炭坑に潜って働くことが常識の範疇で「仕方ない」だったものが現代は非常識になっているように、21世紀の日本の常識がそのまま22世紀の常識であり続けるのか、またあり続けるのが望ましいのか、立ち止まって考えてみる必要があると思います。

夢見がちなのを承知のうえで、これからの私達がどうあるのが望ましいのか、社会全体のレベルで考えてみたいと思います。

1　私達の世代が未来をつくる

私達は過去によってつくられた産物であるとともに、大人としてこれからの未来をつくりだしていく材料でもあります。昭和後期～平成時代にかけては、私達がどのように育てられ、どのような世代になっていくのかが問われなければなりませんでした。しかし、私達が大人になった21世紀においては、次の世代にどのような身振りをみせ、どのような贈り物を残していけるのかが、より問われるのです。

私達の世代の思春期は、今終わりを迎えようとしています。既に思春期の終わった人も多いでしょう。しかし、次世代を育てはぐくむ再生産のフェーズとしての私達は、今始まったばかりです。「それなら、誰の親にもならない、子育てに関わることのない大人には関係ない話だ」と反論する人もいるかもしれません。しかし、子どもをもうけていない大人が次世代育成から切り離される生活環境と、切り離されて当然という常識感覚そのものも、そういう大人達を見上げながら育っていく子ども達の価値観や処世術形成に間接的な影響を与えるのではないでしょうか。「親にならなかった大人は次世代の育成から切り離される」という風景を見た子ども達が、そこから何を内面化していき、大人になった頃に何を思うのか――少なくとも、「親にならなかった大人も次世代の育成になんらかの形で参与する」という風景を見て育つのとは違った何かを学び、内面化していくと推測されます。

反対に、現在子育て中の人達のなかには、「独身の連中は負担を免除されている」といった風に、次世代の育成に関わることのない人達を〝怠け者〟的にみなす人もいるかもしれません。

しかし私は、逆に発想してみるべきではないかと思います――子どもをもうけない限り次世代の運命に関われないという情況は、本当は、気の毒なことではないか、と。

じかに子どもを育てるほどではないにしても、関わりのある年少者が成長していくのを見守ること、その成長になんらかのポジティブな足跡を残すことは、本当は大きな喜びだと思うのです。若さが衰えはじめ、自分の能力的追求に限界を感じるようになってからは特にそうではないでしょうか。ところが、ニュータウンや都会のマンションに暮らし、親類筋や近所の子どもから隔絶された状態で生活し続ける大人には、その機会が失われてしまっています。

「生殖性」という大人の喜び

「アイデンティティ」という言葉の生みの親でもある心理学者のエリック・エリクソン（Erik H.

Erikson,1902-1994）は、壮年期を迎えた大人の発達課題として生殖性 genitality なるものを挙げています。この生殖性という概念はちょっとややこしいのですが、私なりに要約すれば「自分以外の誰かに熱意を傾け、誰か／何かを育てることに喜びを感じるということ」「自己充足だけに満足する境地から、自分を必要とする人達の成長や達成に満足する境地にギアチェンジすること」といったニュアンスになります。

エリクソンは、こうした喜びのギアチェンジが起こるためには、ある程度の心理的成熟に加えて、誰かに必要とされたり頼られたりする機会が必要、と書いています。誰かを育てる喜びに目覚めるためには自分一人では難しく、育ててもらうのを待っている子どもや年少者に出会わなければ難しいんじゃないか、というのです。

この、エリクソンの生殖性という考え方は、子育てをスタートして子の成長に喜びを感じるようになった人には実感のあるものではないかと思います。エリクソンは、親が子どもの世話をして成長を促しているとき、子どもだけが成長・変化していくのでなく、子どもに頼られることを通して親自身が成長・変化していくと書いていますが、まさにその通りの経験談を私は多くの親達から聞きましたし、私自身も子育てによって変わったように感じます。

生殖性という心のギアチェンジが起こるきっかけとしては、子育てをはじめるのが一般的なのは言うまでもありません。ただしエリクソンは、生殖性への目覚めは実子が相手でなくとも起こり得るとしています。子どもをもうけていない人でも、他人の子どもの世話に参加したり、次世代のための社会の建設に参加したりすることで、生殖性が芽生えていくことがある、というのです。ところが現代の生活環境では、親として子育ての当事者になるか、(保育士や教師のような)職業的な当事者になるのでない限り、子どもから必要とされたり頼られたりする機会があまりありません。ボランティアのような形で積極的に子どもに出会いにでも行かない限り、生殖性という、びっくりするような心のギアチェンジを促す機会には出会わないのです。

少子化問題が叫ばれるなか、親が核家族単位で子育てを引き受けなければならないのは大変なことだと思います。ですが問題はそれだけでなく、子どもをもうけていないほとんどの未婚者が次世代の育成に関わる機会を持てず、生殖性という、壮年期以降にようやく開花する喜びにアクセスしにくいことも、隠れた不幸ではないでしょうか。もちろんこれは、次世代の子ども達にとっても不幸なことだと思います。

2 自由を追いかけているうちに、私達が放置してしまったこと

思うに、産業構造や雇用システムにしても、都市空間やニュータウンといった生活空間にしても、人生のフェーズのなかでも思春期のライフスタイルばかりに便宜をはかり、そのメリットを最大化するような現代社会になってしまっているのではないでしょうか。

ここでいう思春期へのメリットとは、職業や居住地を自由に選べるおかげで思春期モラトリアム

をやりやすくなった、〝しがらみ〟が無いお陰で自己充足やアイデンティティ探しに集中しやすくなったという意味だけではありません。移り気な流行・社会情勢・テクノロジーに素早く適応できる人間にこそ大きなチャンスが巡ってくるという意味でも、現代社会においては思春期心性が有利と言えます。

しかし、若者には最適な現代社会も、幼児期〜学童期の子ども達や、子育てをしている父母や、子育てを終えて歳を取っていく人達にとって最適とは思えません。現代のニュータウン的な子育て環境は、子育てをする親の経済的／心理的負担を大きくしやすく、大人に管理された暮らしは、子どもの自発性を膨らませるよりは受動性へとなびかせやすいものです。また、人的流動性の高さも、引っ越しに伴う親自身／子自身へのストレスや単身赴任の可能性といったかたちで、思春期の頃にはさほど気にならなかった負担として牙をむき始めます。環境変化に適応するのが難しくなった老年期の人達も、ふるさとを離れて自己愛を充たしあえる人間関係を再構築するのは大変です。

つまり思春期モラトリアムな世代・自己充足だけに夢中になっている人達に最適化された社会は、それ以外の世代・それ以外のライフスタイルの人達にとって必ずしも最適とはいえない社会ではないか、と問いたいのです。

また一方で、思春期モラトリアムを捨てようにも捨てきれず、「チョイ悪オヤジ」「40代女子」といった思春期ゾンビになってしまっている人達のことも忘れるわけにはいきません。彼らは思春期の自由のままに暮らすすべは教わっても、自分の自由を二の次にしてでも次世代の育成に心傾けていく機会に出会えなかったという意味では、なかなか不幸な人達だと思います。思春期的なライフスタイルがしんどい年頃になっても自己充足にしか心を砕けず、若作りに固執しなければならない心境も、それはそれで辛いに違いないでしょうから。

私達より年長の世代は、思春期の自由やモラトリアムを尊重するのに適したイデオロギー、社会制度、そして生活インフラを作り上げてきました。田舎の地域社会から大都市近郊へと暮らしの場が移り、生まれや身分でなく能力やスキルによって職業が決まる時代への転換期には、どれも必要なものだったと私は思います。古い企業や地域社会の過剰な拘束性を緩和するうえでも、マイノリティの解放や女性の社会進出といった点でも、年長世代が個人の自由のために積み上げてきた功績と恩恵を忘れてはならないと思います。

しかし、次世代育成を担う人達にとっての子育て環境の問題や、幼児期〜学童期の子ども達の自発性の問題などに関しては、この限りではないように思えるのです。

3　二周目に入った自己愛世代

私達はニュータウンで生まれ育ち、スタンドアロンに自己愛を充たす処世術にすっかり慣れた世代です。そして、自己愛を求めすぎてしまいやすいパーソナリティ傾向を身につけ大人になった世代でもあります。私達が生まれて30年以上が経ちましたが、私達を自己愛パーソナリティ傾向へと特徴づけた社会システムや生活環境は、30年前と変わっていません。それどころか、ニュータウン的な生活環境は人口数万人程度の地方都市にまで広がり、雇用システムは流動化する一方です。ということは、自己愛パーソナリティ傾向に育った私達が、似たような環境下で今度は子育てをする側に回った、ということです。

もちろん、昔の日本にも自己愛パーソナリティ傾向の強い母親がいなかったわけではなく、さほど過酷な環境にいたわけでもないのに子どもを自己愛充当のツールに仕立てあげた母親は、探せばいたでしょう。しかし私達の世代の場合、自己愛パーソナリティ傾向が例外ではなく、典型になったなかで子育てが営まれるわけですから、平均的な環境を与えられた親といえども、子どもを介した自己愛充当を優先させてしまう確率は決して低くはありません。

近年、高い頻度で見かけるようになった〝キラキラネーム〟などもその反映かもしれません。5～10年先には確実に時代遅れになっていそうなキャラクターからとった名前や、将来クラスメートから馬鹿にされそうな名前を子どもにつけて満足している親は、子どもの将来を願って名付けをやっているのでしょうか？　それより、子どもをぬいぐるみか何かと勘違いしていて、いつまでも抱きかかえていられると思っているのではないかと私は勘ぐりたくなってしまいます。

子どもは親の所有物でもペットでもない、いつかは成長して離れていく一人の人間です。そういう感覚が欠落した、あたかもいつまでも自分の所有物であるかのような名付けを見ていると、今、この場での子どもとの一体感という、刹那的な親のエゴが出しゃばりすぎていると感じるのです。

図7−1　児童虐待件数

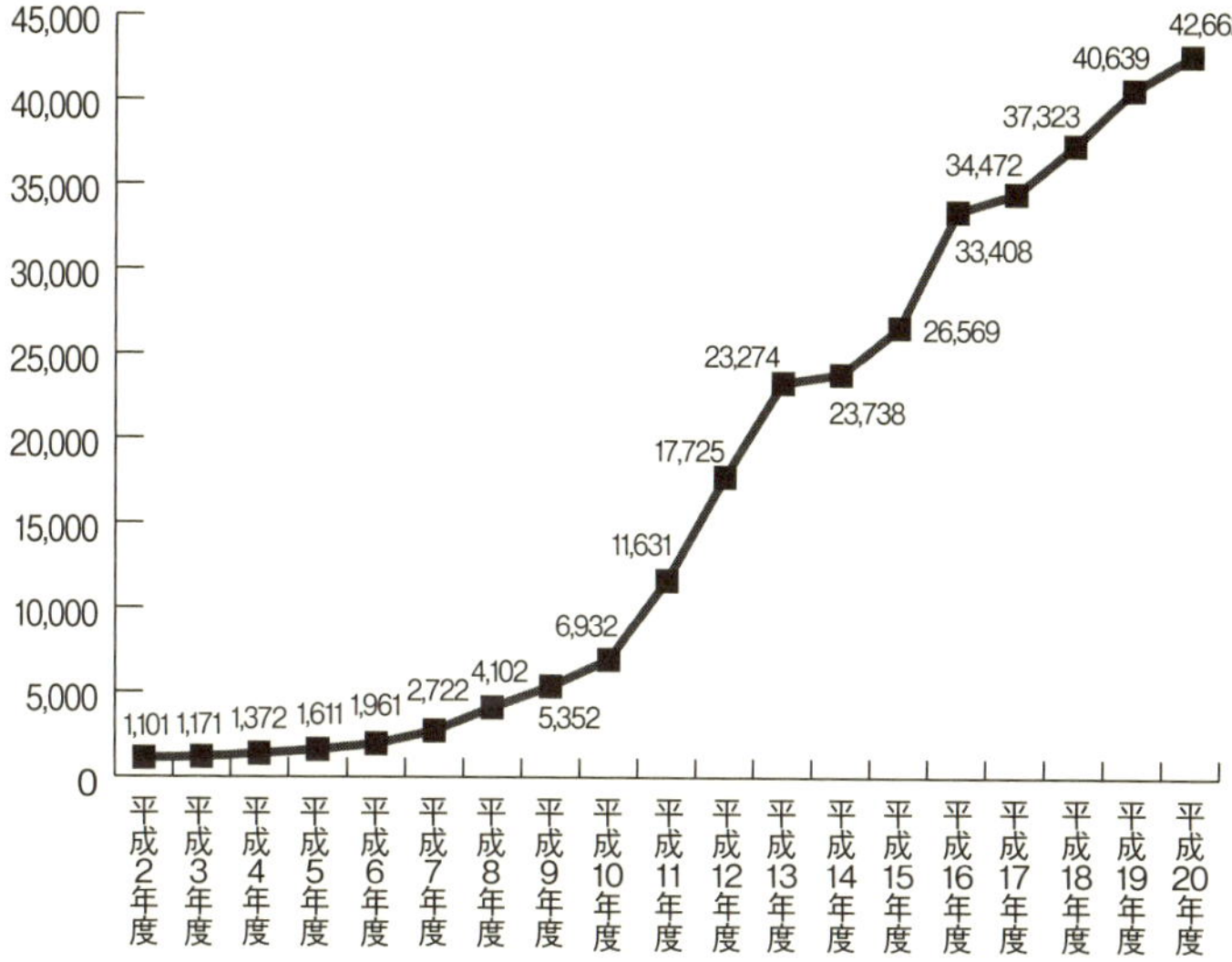

（出典）厚生労働省「児童相談所における児童虐待相談対応件数」（平成21年）

世代間でより深刻化する問題

そして〝キラキラネーム〟よりずっと深刻な問題である、ネグレクトや児童虐待の件数は、平成10年あたりから増え続ける一方で、減少する気配がありません。少子化が進んでいるにもかかわらず、です。件数増加の背景には、児童虐待に対する意識の変化や、児童虐待防止法の法改正などの影響もあるでしょうが、それにしても増加が顕著です。しかも、こうした不幸な子ども達の大半は、地域社会や親族といったセーフティネットに守られていませんから、子どもの側には逃げ道がありません。現状では、児童相談所や警察の介入にも限界があります。

数十年前、多くの心理学者や精神科医は、自己愛パーソナリティに偏った社会はさまざまな困難に直面するだろうとは予言してきましたが、それでも彼らの結びの言葉はわりと楽観的なものでした。しかし私には、二周目に入った自己愛パーソナリティの社会は、彼らが予想していたより難しい局面を迎えているようにみえます。当時、これほどまでに〝子どもを普通に育てにくい〟〝普通の子育てがわからない〟社会が到来すると、誰が予想していたでしょうか。私達の世代が直面しているメンタリティ上の問題は大きなものですが、そんな私達の世代によって育まれる次の世代のメンタリティもまた、大きすぎる問題に曝されているといわざるを得ません。

4　孤独な父母の子育てをどうするか

差し迫った問題は、現在孤独な子育てを余儀なくされている母親（父親）はそのままでも大丈夫なのか、子育てする余裕の乏しい核家族の子どもは大丈夫なのか、です。離婚率の上昇やシングルマザーの増加により、片親のもとで育てられる子どもの割合は増加しています。昔のことわざに、〝親はなくとも子は育つ〟というものがありましたが、これは、子どもの価値観形成や学習に占める地域社会のウエイトが大きかった時代の話で、現在では通用しそうにありません。

さきに触れたように、現代社会では児童虐待やネグレクトが大きな社会問題になっていますが、その原因の一端には、子育てにまつわるルールや制度が（地域社会の集団的営為から）自由化・自己責任化してしまっていることもあると思います。核家族がプライバシーという名のカーテンで覆われ、鉄筋コンクリートの壁で仕切られている今、子どもより愛人やパチンコを優先させる自分本位な親にも、そんな親のもとに生まれた不幸な子どもにも、逃げ場がどこにもありません。児童相談所や警察が介入するその日まで、虐待やネグレクトを阻むものも、子育てを誰かに手伝ってもらう要素も、なにもないのです。

こうした問題に対し、福祉関係者も黙って見ていたわけではありません。平成12年には児童虐待防止法が可決され、増え続ける児童虐待に対応するために、児童相談所の機能充実や権限強化が図られてきました。また、大都市圏の待機児童問題への対策として「エンゼルプラン」「待機児童ゼロ作戦」などが施行され、保育サービスの質的・量的向上も図られています。親の子育ての負担を減らすためにも、被虐待児を救うためにも、こうした政策は有効だと思います。そして仕事一筋というわけにはいかない片親の立場を鑑みれば、母子家庭や父子家庭への手当や助成のさらなる充実が期待されます。

「誰かと一緒にやる」子育ての必要性

ただし、こうした設備的／金銭的な援助だけでは片手落ちの解決にしかならないのではないか、と私は思います。児童虐待やネグレクト防止という点では十分かもしれませんが、例えばモンスターペアレンツに該当しそうな母親に育てられた子どもが、その母親の価値観だけに強く拘束されてしまう問題までどうにかできるものではありません。現代の子育て環境は、地域社会や家父長的制度による心理的拘束はほとんどゼロに近い一方で、数少ない養育者によって子どもが心理的に拘束されるリスクは非常に高いものです。

かといって、保育施設のようなインフラに子育てを任せきった場合は、「子を介して親が育つ」という、親の側の成長がどの程度見込まれるのかがちょっと心配です。保育施設に任せきりで育った子どものほうは、赤ん坊から幼稚園児へ・さらに小学生へと成長していくでしょうけれど、保育施設に任せきりにしていた親の側は、果たして、赤ん坊の親から幼稚園児の親へ・小学生の親へと成長していくでしょうか？　親自身が心のギアチェンジをしていくためにも、一定レベル以上、子どもとの関わりを持っておいたほうが望ましいように思えます。

こうした心理的問題をまんべんなくカバーするためには、祖父母をはじめとする親族と連携した子育てや、地域の母親同士によるネットワークのなかでの子育てを、もっと重視したほうが良いと思います。どちらも、親が子どもに関わる度合いはそれなり残しつつ、親子間の極端な密着や拘束を防ぎ、親子それぞれが自己対象に幅を持たせるにも適しています。

本来、子育てはとても楽しいものです。

辛いことや苦しいこともたくさんありますし、体力的にも精神的にも大きな試練である点は否定できません。しかし、自分以外の誰かの幸せを願うこと、自分以外の人間の成長を見守ることの喜びを、これほど雄弁に物語ってくれる体験も無いとも思います。自分を頼ってくる幼い者の成長を喜ぶ気持ちは、思春期的な自己充足のうちには気づきにくかった新しい何かです。

そんな子育てを一人でやらざるを得ない、あるいは責任もプレッシャーも全部背負い込まざるを得ないから、色々こんがらがるのではないでしょうか。誰かと一緒にやるなら、責任やプレッシャーは自分一人のものではありませんし、子育てにまつわる喜びや気付きは親個人だけのものではなく、子育てに関わった人たち皆のものにもなります。子どもの側も、母親だけの価値観や一体感に拘束されすぎることなく、父親も含め、関わったたくさんの年長者から自己愛や価値観をインストールできるでしょう。

5 「父親が子育てに参加する権利」

ここで、父親の子育てについても触れておきます。最近は、育児休暇を取って子育てに参加する父親が少しずつ増えていて、そのような父親を「イクメン」と呼ぶようです。

1992年に育児介護休業法が制定され、2008年に法改正されたことによって、男女を問わず、子どもの生後一年間は仕事を休めるようになりました。育児休業給付制度や看護休暇制度などもあり、昭和時代に比べれば父親が子育てに参加するための法的基盤はマシになりました。

ただ、父親の子育て参加への考え方が、「母親を助ける」という視点に終始しがちなのが、私には気になります。そもそも、子育てする父親を指す言葉が、女性が男性を値踏みする「イケメン」をもじった言葉で流通していること自体、「母親から見て望ましい父親」的な女性目線に頼っていることを暗に示しているのではないでしょうか。そういう意味では、現在の「イクメン」ブームも「子育ての主体者は母親で、父親はそれをバックアップ」という、高度成長期以来の子育てイデオロギーを脱却しきれていないようにみえます。

私は、「イクメン」などという女性目線に頼った言葉ではなく、子育てに参加する男性側の主体性や、子育てする権利を暗に示すような言葉がつくられたほうが望ましいと思います。

今後、さらに父親が子育てに関わるようになっていくなら、乳児期の一時的な手伝いで終わってしまうのではなく、子育ての期間全体において母親と同じくらい子育てに参加しても後ろ指をさされない社会、働き盛りの世代が片親だけに子育てを偏奇させることなく、父親と母親がだいたい釣り合うようなかたちで子どもに関われるような社会をこそ、目指すべきではないでしょうか。

父親の機能が最重要な時期に子育てから遠ざかる

何が言いたいかというと、現在の育児休業制度は、父親が父親ならではの役割を果たしはじめる時期をカバーしていないように見えるのです。エリクソンやコフートを参考にする限りでは、核家族のなかの父親が、母親とは別種のよりどころ・一体感の対象として子どもにクローズアップされてくるのは、育児休業制度の対象になっている乳児期ではなく、子どもが保育園に通い始めるぐらいの年齢と考えられます。技能習得や価値観の内面化にいよいよ父親が寄与しはじめる〝旬〟の時期も、それぐらいでしょう。

図７−２　親子の接触時間（父母別）

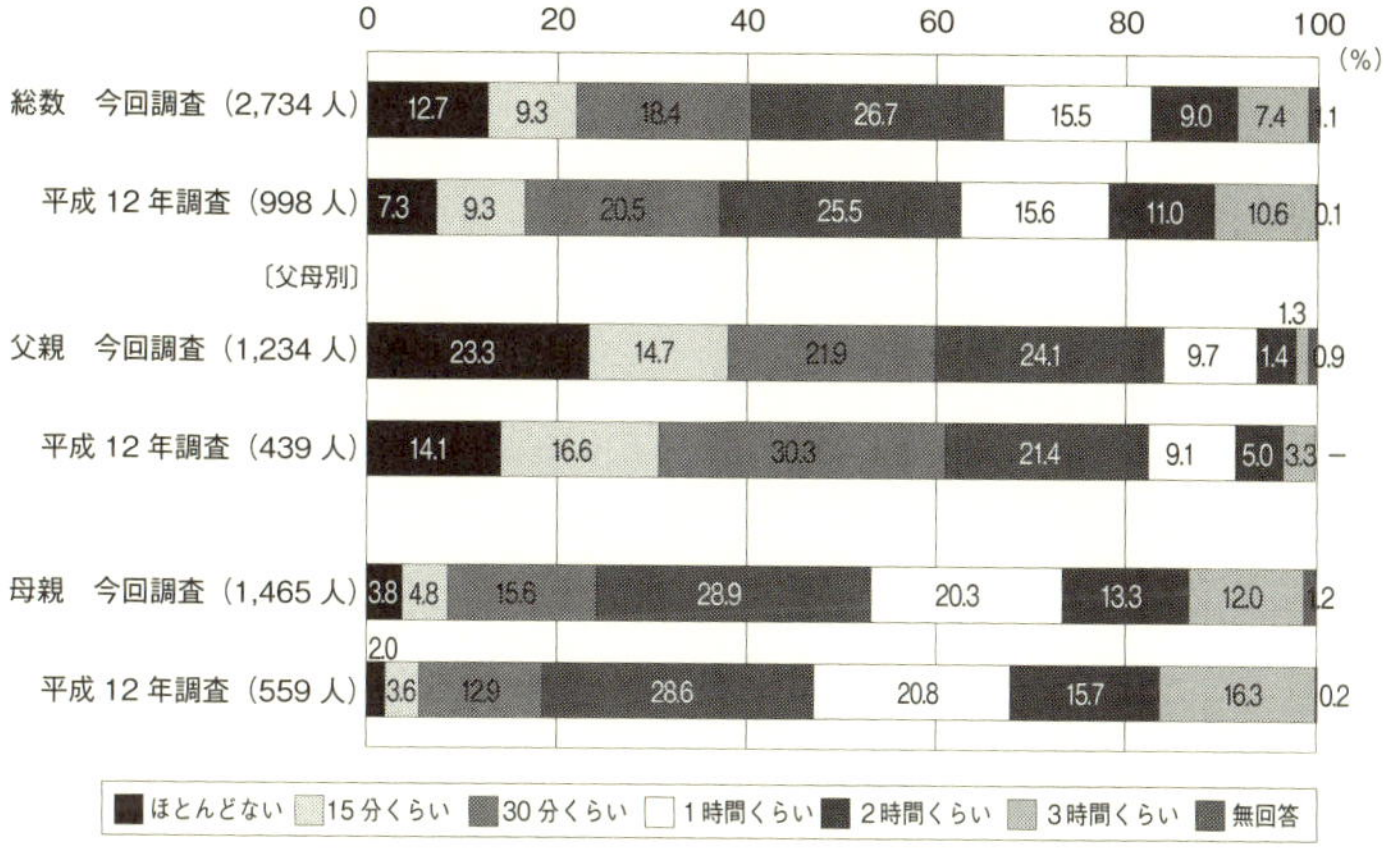

父親と母親では子どもとの接触時間に大きな開きがある。「子どもとの接触時間が殆ど無い」父親が増えている点にも注意。
（出典）内閣府「低年齢少年の生活と意識に関する調査（2007）」

こうした制度と父親機能のズレは、母親の育児負担という視点だけからみればたいしたズレではないかもしれません。しかし、父親の主体的な子育ての権利や、子どもの内面形成や自己愛の成熟に父親が寄与するチャンスまで含めて考えるなら、無視できない問題だと思います。

しかし現実には、多くの父親は子どもが乳児期を過ぎると職場へ戻っていき、ある者は残業、ある者は単身赴任というかたちで、以後は子育てから遠ざかっていきます――これから子どもの内面形成に父親が妙味を利かせ始めるという、まさにその時に、父親が遠ざかっていくのです！　内閣府「低年齢少年の生活と意識に関する調査」によれば、母親の７割以上が平日１時間以上子どもに接触しているのに対し、平日１時間以上子どもに接触している父親は4割もいません（図7―2）。また、子どもの遊び場所や友人の名前をどの程度知っているかの調査でも、父親は母親に大きく水をあけられています。こうした数字を見ると、現在の父親がいかに子育てから疎外されているかがよくわかります。

企業側としては、「育児休業を取ったんだから、次は会社の都合を呑んでくれ」と考えたいところかもしれませんが、こんな調子では、子どもが父親になつく機会も、父親が果たす家庭内の心理的機能も、すっかりなくなってしまいます。企業や経済学者の立場からすれば、子どもが父親になつくチャンスや父親の家庭内の心理機能など、頬かむりして済ませたい代物かもしれません。しかし世代再生産という観点からみれば、これは間違いなく重大なコストです。そういった金銭的には直接見えにくいコストを核家族に押し付け、見て見ぬふりをしながら企業業績を追求してやまない現在の社会常識を、これからもそのままにしておいて構わないものなのか、そろそろ考え直してみるべきではないでしょうか。

幼児期や学童期の父親不在という、インビジブルな心理的コストを社会全体としてどう考え、どのように対処していくのか？　経済活動を優先させるあまり、歪な子育て環境を親子に強い続けるとどういう子どもが育ってくるのかは、私達の世代までで大体の見当がついているようにみえます。そして長期的な視野に立ってみれば、健全な次世代を育てやすい社会か否かは、経済的な未来をも左右する重要な要素にもなる筈です。

6　子どもを透明な檻から解放するには

それと、現在の子育てスタイルを、子どもの自発性や自己愛の成熟といった観点から見なおす必要もあると思います。

「低年齢少年の生活と意識に関する調査」のなかには、子どもの自発性について親がどう考えているかについてのアンケート結果もあります。それによれば、今日の親達は、今まで以上に子どもの自発性を軽視しているようです。自発性を欠き、誰かに娯楽を与えられなければ遊ぶこともままならない、〝指示待ち人間〟な青少年に事欠かない今日この頃にもかかわらず、です（図7-3）。

親の管理性を重視した子育ては、〝学力〟〝従順さ〟を身につけるのには向いているかもしれませんし、セキュリティ面でも優れています。しかし、遊びすら大人に与えられるままの放課後を過ごすようでは、子どもの自発性はますます育ちにくく、リモコンロボットのような青少年がさらに増えてしまうでしょう。また、コミュニケーションの経験蓄積という意味でも、放課後に占める塾や稽古事の割合、一人遊びの時間の割合が増えるほど、同世代の友達とのコミュニケーションの経験蓄積の絶対量が不足してしまいます。

親のためでもなく、先生のためでもなく、まず、現在の自分自身の満足や好奇心を充たすために何かを頑張る・何かを探せる――そういう体験を積み重ねていない子ども時代をすごした人々が、

図7－3　設問「子どもの自発性をできるだけ尊重すれば、子どもは健全に成長する」

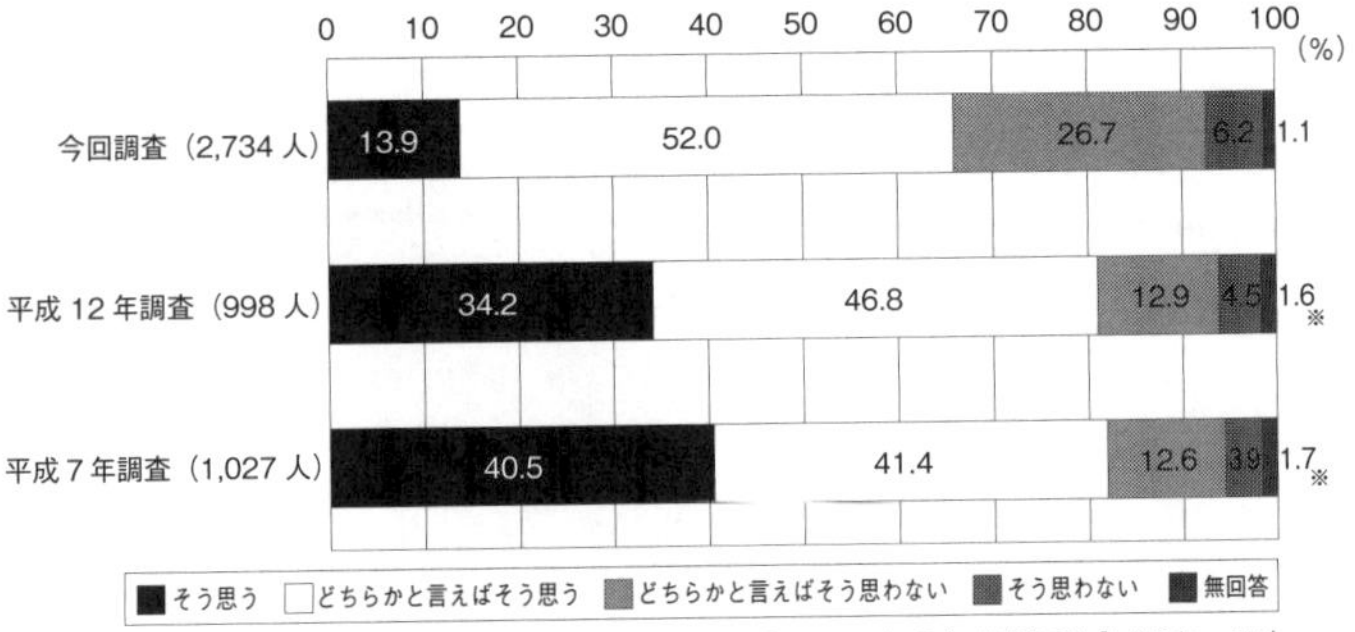

※平成 12 年調査では「わからない」、平成 7 年調査では「わからない・NA」

（出典）内閣府「低年齢少年の生活と意識に関する調査（2007）」

思春期以後に自発性や好奇心に満ちた人物になれるものか、私には疑問でなりません※1。

※1　実際、臨床現場で出会った人や、私の交友関係のなかにも、自発性を軽視された子ども時代を過ごした挙句、思春期以後、自分自身のために頑張ること・欲しがることに当惑してしまい、他人の顔色を伺いながら生きている人を見かけます。

　また、自己愛の成熟という観点から見ても、親や、親の息のかかった先生やインストラクターにだけ褒められて「①他人を映し鏡にして自己愛を充たす」ばかりでなく、年上の子どもや先輩を介して「②理想の対象を通して自己愛を充たし」たり、遊び仲間同士で「③自分に似た対象を通して自己愛を充たし」たりできるような、自己対象のバリエーション豊かな子ども時代を過ごしたほうが、親や大人経由では得られない様々な事物を学習できて良いように思います。

　ただし、現時点では子どもに自由時間を与えるだけでは問題解決になりません。自分の家の子どもに自由時間を与えただけでは、子ども集団で遊ぶ場所も、遊びをクリエイトするチャンスも、それほど得られないからです――他の家の子ども達は今まで通り塾や稽古事に通い続けるでしょうし、ニュータウンでは、大人が用意した場所で行儀良く遊ばなければならないのですから。そしてニュータウンの平均的な公園は、おもしろい遊びをクリエイトする場としては変化や起伏に乏し過ぎるのが現状です。子どもに自由な放課後を与えても、一人でテレビを見ているか携帯ゲーム機をいじるばかりでは意味がありません。

寛容さが減少する時代の解放空間

では、自由な子ども遊びを、クリエイティブに集団でやるためには、今なにが必要でしょうか。まず、子ども同士が一緒に遊ぶスケジュール調整がやりやすい、そういう子どもの時間を蘇らせる必要がある、と私は思います。子ども同士で遊びをクリエイトする時間は、大人が主導し枠付ける方法では代替できない、とても貴重なものだと認識しさえすれば、子ども同士の自由時間をシンクロさせるための方策は幾らでも思いつくはずです。昔の土曜日の半日授業に相当するような、子ども同士で一緒に遊ぶ約束をとりつけやすい時間や空間がもっとあればいいなと思いますし、（美容院や床屋が月曜日に一斉に休みになるように）子ども向けの稽古事や学習塾が一斉に休みになる曜日などがあればいいなと個人的には思います。

もうひとつ、せっかく子どもが集まるなら、もっと色々な遊びをクリエイトしやすい空間があったほうが良いと思います。一昔前の地域社会だったら、街全体が遊び場で、今では遊びが禁止されている空間——住宅街の道路や、空き地や、裏山の池など——でも割と遊べました。もし、うるさく注意してくる大人がいたとしても、そういう大人を相手にどう立ち回るか自体がひとつのゲームみたいなもので、さんざん知恵を絞ったものです。しかし、現代のニュータウン的な空間では、子どもが遊んで良い場所／いけない場所がはっきり色分けされています。現代の子ども達は無味乾燥な公園のなかで行儀良く遊んでいますが、その行儀の良さに感心すると同時に、大人に与えられた枠のなかで遊ぶことに慣れきった現代の学童期と、枠の曖昧な街じゅうを遊び場にしていた時代の学童期では、子ども時代の体験蓄積に大きな違いがあると思わざるを得ません※2。

※2　文部科学省「体力・運動能力調査」によれば、昭和60年をピークに子どもの体力や運動能力は低下に転じています。街中をフィールドとして鬼ごっこやかくれんぼをしている子どもの姿は、今日なかなか見かけるものではありませんが、もし身体機能を限界まで使い込んで遊ぶ機会が少なくなっているとしたら、体力・運動能力の低下はあって当然でしょう。

さりとてニュータウンがニュータウンである限り、昔の地域社会のような子どもの外遊びを取り戻すのは難しいでしょう。見ず知らずの隣人に寛容を期待するのは難しいですし、子どもの身に何かあった際に土地管理者の責任を親が問いまくる時代になった以上、立入禁止の看板はこれからも増える一方でしょう。ニュータウンという生活環境を根本から覆す、次世代の生活環境が立ち上がって来るまでは、街全体を子どもの遊び場として再解放できる日は来ないと覚悟せざるを得ません。

となれば、当面の次善の策としては、子どもが集団で遊べる自由度の高い（できれば広い）遊び場を街の一角に用意し、子どもに好きなように遊んでもらうのが良いように思います。こうした遊び場の整備に乗り出している自治体も現れており、例えば東京都世田谷区では、昭和54年から「自分の責任で自由に遊ぶ」をモットーにしたプレーパーク事業を開始しており、羽根木プレーパークや駒沢はらっぱプレーパークなどでは、焚き火や木登りのような、従来型の公園では遊べない遊びが体験できます。

ただ、この手の先進的な試みの常として、プレーパークは一部の自治体しか設営していないのが現状です。大都市圏にニュータウンが作られるようになって半世紀以上が経ち、全国の隅々にまでニュータウン的空間が普及したのに比べれば、プレーパーク的な試みはまだ始まったばかりです。

7　自分の世代のことしか考えていない大人を見習うな！

この数十年間で、日本人は独りで自己愛やアイデンティティを追求することに慣れていきました。そのかわり、誰かと一緒に暮らすことや世代を超えて一体感を感じることに関しては、昔よりも不慣れになってしまったように見えます。マンションやアパートごとに分断された暮らしの果てにたどり着いたのは、家族以外の年長者／年少者に想像力を働かせにくい※3・世代間のいがみ合いや対立の激しい社会であり、男女の結びつきや子育てが遠のく一方の21世紀です。

※3 「親や子どもにさえ想像力を働かせにくい」と修正すべきかもしれません。居間で一緒にテレビを見て過ごすことさえ少なくなり、子どもが子ども部屋に籠もって過ごすようになった家庭の場合は、家庭内でさえコミュニケーションが少なくなります。

ニュータウンの暮らしは、他人や他世代を気にかける必要がなく、自分の利益や快楽だけを追求するには最適なので、自分自身に忙しい思春期の人々には都合が良いと思います。しかし、そんな暮らしを何十年も続けていれば、異なる世代に対する想像力が欠落していくのも当然でしょう。

こうした暮らしを続けていても、大人達は、自分の自己愛やアイデンティティを追求さえすれば、さほど心理的に困ってしまうこともありません。少なくとも、「自分自身の欲望やアイデンティティだけを追求し続けた果てにも老いがやってきて、死ねば自分には何も残らない」という厳粛な事実を突きつけられるその日までは、思春期の延長や若作りもそれなりに有効な処世術です。

しかし、思春期以前の子ども達には、ニュータウンという環境はそういった利便性をもたらしてはくれません。生活環境にしても、政治にしても、福祉にしても、子どもには選択権も判断力も行動力もありませんから、大人の与える環境を否応なく突きつけられます。その与えられる環境を、子どもに適したものに変えていくにあたって頼りになるのは、専ら親の選挙権や発言力ですが、教育ママ問題に端的に示されるように、これはこれで親自身の心理的ニーズに振り回されやすく、しかも有権者の絶対数から言っても、子育てしている親が政治活動に参加できる余裕の無さから言っても、親の声が政治を通して社会環境に与えられる影響は限られています※4。

※4　そして、自分の子どもが既に成人しているニュータウンの住民や、子育てを一切しないニュータウンの住民からすれば、他人の子どものための環境も、未来の世代の事も、「全くの他人事」でしかありませんから、彼らに協力を呼びかけるのは至難です。関わりを持つ人間の範囲が狭くなりがちなニュータウン的空間では、政治への関与もまた、その狭い関わりの内側にしか想像力の及ばないものになりやすいと思われます。

影響力のある人間は子育てしているのか？

また、こうした親の声の影響力という点では、現代の政治やメディアで活躍している各方面の専門家達のどれだけの割合が、どの程度子育てに関わっているのか、どの程度世代再生産に対する当事者意識を持っているのか、気になるところです。声の大きなメガホンを持つに至った専門家・技術の最先端を開拓する専門家は、その大きなメガホンを手にするためにも・専門的な学術を修めるためにも、子育て以外のところに大きなリソースを賭け、子育ての手間暇を配偶者や保育者に任せているケースが多いのではないでしょうか。一晩じゅう泣いている子どもを背中におぶり続けた政治家や、子どもを何百回も風呂に入れた専門家が、政治活動、メディア活動、技術開発に携わっている人々のうちにどれぐらい見いだせるでしょう？　あるいは政治、社会、技術に深い関心を持っている人達のうち、子育てを間近な体験と感じている人がどの程度いるのでしょう？

もし、子育てや世代再生産を間近なものとして感じない大人ばかりで政治空間やメディア空間が占められ、技術開発が進められていくとしたら、子育てを巡る政治・メディア・技術の方向性は、当事者的な体験や苦労を酌み取らないものになってしまうと私は懸念します。そして都市空間の構築も含めたテクノロジーの開発も、〝思春期の、思春期による、思春期のためのテクノロジー〟に重点が置かれ続けてしまうのではないかと疑います。

なかには、積極的に子育てをやったうえで、体験を踏まえて政治やメディアや技術に関わっている人もいるでしょうし、子育てとは無縁の暮らしをしていても世代再生産の問題に関心をお持ちの人もいるとは思います。しかし全体的傾向としては、キャリアを積み重ねるにあたって子育てから疎遠にならざるを得なかった専門家が多いのではないかとも思いますし、他人の子育てから隔絶されたニュータウンの住人の多くは、世代再生産を自分の問題として認識しにくかろうとも思えるのです。

そんななか、他の世代のことを考えられる大人になるのは、大変難しいことだと思います。以前、自分達の不幸を披瀝しながら社会問題を論じる〝ロスジェネ論壇〟がちょっとしたブームになったことがありますが、ああいう世代内の内輪ウケに偏った言説が消費されるのも、致し方のないことです。しかし、自分の世代のことしか考えない大人同士が、バトルロワイヤルよろしく、自分達の世代の都合ばかり自己主張しあっているような社会のなかで、健やかな次世代の成長や明るい未来など、どうして望めるでしょうか。そして、そのバトルロワイヤルにあたって、政治的・言説的にいちばん声をあげにくく、割を食いやすい立場にいるのは誰でしょうか？

「自分の世代のことしか考えられない大人問題」は、ニュータウンという都市空間の構造と不可分なところもあり、20代の若者から還暦過ぎの団塊世代まで浸透してしまった、根深いものだと思います。そして実際には、ニュータウンの人々とて自己中心主義の権化というわけではなく、多くの人は、身の回りの暮らしやメンタルヘルスを支えるのに精一杯なまま老いへと引きずられているのであって、余裕たっぷりに自分本位な生を享受しているわけでもないと思います。

ですから「自分の世代のことしか考えられない大人問題」を緩和し、世代間のつながりを蘇らせるのはとても難しいです※5。しかし、難しいとわかっていても、見なかったことにして通り過ぎるわけにはいかないとも思うのです。

※5 なかには「昔の地域社会に返れば良い」と考える人もいるかもしれません。地域社会は、地域内の拘束性が強めだったにせよ、世代間交流・集団的な自己愛充当・家族以外の子どもやお年寄りの可視化といった点ではニュータウンよりも優れています。しかしこれは人口動態がピラミッド型だった時代においてバランスがとれていたシステムです。高齢化社会で地域社会のへたな真似をしてしまうと、年寄りの発言権が大きすぎて若年者に対する拘束力が過剰に大きなシステムができあがってしまいそうです。過去の地域社会から学ぶべき点はたくさんあると思いますが、それなりに現代風のアレンジが必要だと考えられます。

8　若者なんてやめちまえ

そして私達の世代に話を絞ると、まず、若者気分をいい加減に卒業し、自分探しや自己充足だけにガツガツするライフスタイルを脱却するのが望ましい、と思います。思春期から壮年期へとギアチェンジしていきませんか、ということです。

10代のはじめに思春期が始まってから、もう20年かそこらの歳月が経っている筈です。ここまでの積み重ねによってできあがったのが現在のあなた自身であり、今、鏡にうつっているあなたこそがあなたです。30年以上の蓄積によってあなたが形作られていることを思えば、短期間で自分のアイデンティティや能力が改変できるとは考えないほうが良いと思います。それより、現在の自分の延長線上として、どのように自分自身を望ましい方向へと積み重ねていくのかを考え、実行していくほうが現実的です。

断っておきますが、若者をやめる・思春期をやめるというのは、自分の成長や発達をあきらめることではありません。そうではなく、成長や発達のスタイルや、力のいれどころを変えていきましょうよ、といいたいのです。

歳を取れば、価値観も能力も劇的には変化しなくなっていくものです。しかし人生はまだまだ続きますし、実際には、自分自身の行いを積み重ねることで少しずつ変わっていくことは今後も可能です。若年者のように短期間で自分自身を塗り替えるのは無理でも、そこはそれ、年の功というか、長期的なスパンで物事をまなざすように心がけ、時間をかけて積み上げていけば、思春期の移ろいやすい心には達成困難だったことも達成できるでしょう。

もう、あなたはヒーローにもアイドルにもなれないし、今更「モテ」てもしようがありません。それでも続いていく人生を少しでも実りと思い出の残るものにしていくためにも、年甲斐のあるスタイルを身につけていきましょうよ、と言いたいのです。

これは、「本当はなんにでもなれる自分」といった、全能な自分自身という幻想にしがみつかなくても良い、ということでもあります。

思春期モラトリアムとは「なんにでもなれる可能性」という意味では福音のように見えますが、「何者かにならなければならない切迫感」という意味ではヒリヒリした境地でもあります。これは、人生の年輪が浅い時期には若者を飛躍させる原動力ともなりますが、トライアンドエラーが難しくなってくる年頃の人にとっては苦しさとなり得ます。

では、どのあたりの年齢で思春期モラトリアムから離れていくのが望ましいのでしょうか。おそらくこれも個人差があり、はっきりとしたことは言えません。ただ、殆どの個人に共通して言えるのは、思春期モラトリアムな心性をいつか手放し、自分自身の人生を適当な場所に軟着陸させるのは、メンタルヘルスを維持するうえでも、自分自身から次世代にリソースや関心を移していくうえでも好ましい、ということです。

「俺は平凡なサラリーマンなんかになりたくない」的な台詞は中2病※6の学生にはお似合いですが、三十路を過ぎた人間には似合いませんし、そんな価値観を抱えて自己充足を追求してやまない大人ばかりでは、次の世代は育たないでしょう。

※6　中2病：若い世代にはすっかり普及したスラングで、伊集院光の深夜ラジオ番組『深夜の馬鹿力』が初出といわれています。中2病は、アイデンティティの拠り所が乏しい思春期前半によくみられます。具体例としては「同級

生が触れてなさそうな難解な本を持ち歩いて自分は特別だと思い込む」「犯罪自慢をしてみる」「自分には超常の力が宿っていると思い込む」といったバリエーションが存在しますが、これらの試みはいかにもぎこちなく、しばしば年長者の苦笑を誘います。しかし、中2病は病気ではなく、思春期前半のアイデンティティの空白を埋めようとする健全な試みとして理解されるべきものですし、中2病も含めた試行錯誤を経てようやく、人は思春期にふさわしい身振りを身につけていくのでしょう。

齢を重ねた私達は、もう、そういう幻想にしがみつく必要なんて無いのです。「なんにでもなれる自分」や「世界にひとつだけの花」でなくても、自分の生きた証なり、なんらかの良い意味での痕跡なりを次の世代に手渡せるだけでも、立派で値打ちのあることだと私は思います。

歳を取ることは軸足を移動させること

そして人は、必ず老いて衰えていく生き物です。

自分自身の手許に自己愛やアイデンティティをかき集め、無限の成長可能性を追求してきた人も、歳を取ってくればその限界に突き当たる日が必ず来ます。世の中には、たまにものすごく幸運な人がいて、思春期心性・才能・時代の流れが噛み合って栄華の頂点をきわめるケースもありますが、そのような人でさえも、才能の枯渇や時代の移り変わりによって翳りがみられてくるのが世の習いです。

限界に気付くきっかけは、リストラかもしれませんし、健康上の問題かもしれませんし、一緒に事業を立ち上げた仲間の死かもしれません。そういった出来事が無くても、歳を取って能力が衰え始め、新しい事が覚えにくい自分自身を目の当たりにすれば、我が身に集めたスキルやノウハウもいつか失われるという事実に衝撃を受けることになります※7。

※7　精神医学の世界では、こうした衝撃と、それに由来する不適応な行動などを、中年期危機 midlife-crisis と呼びます。思春期心性の長引きやすい現代社会においては、思春期から壮年期への心のギアチェンジをどうこなすのか、中年期危機に相当する衝撃や葛藤をいかに和らげるのかがとても重要な問題のように思えますが、世間の関心は思春期や若さを延ばすほうばかりに向いていて、若さを断念すること・老いの境地に軟着陸することのほうにはあまり向いていません。

人は、誰しも自分がかわいいので、人生の下り坂を直視してうろたえない人はあまりいないと思います。とはいっても、ひたすら自分自身だけに関心とリソースをかき集め続けた果てに衰えに直面する人達と、なにかしら次世代へと関心なり心理的ウエイトなりを移して生きてきた人達とでは、黄昏の予兆に対する受容のしやすさも違って感じられるのではないでしょうか。いわば、前者は「自分が全て、自分が死んだら世界が終わり」ですが、後者は「自分が死んでも世界は終わらないし、後に残される人達がいる」世界観を生きているわけですから。絶望しやすさも絶望の深さも、全然違います。

そういう意味でも、思春期的な自己充足のウエイトは少しずつ縮小して、年若い誰かの成長や幸せを介して満足する方向に軸足を移していくのが望ましいように思います。この点では、子育てこそが一番わかりやすく直感的に満足の軸足を次世代に移せますが、職場、趣味、ボランティアといった領域で若い世代と接しているうちに、心理的充足の軸足が自分自身から次の世代へと移っていく人もいるかもしれません。

なお、自分自身から次世代に軸足を移すと言っても、なにもかも心をなげうってしまうのはおすすめできません。コフートが言ったように、人間は生涯にわたって幾らかの自己愛を充たさなければ心理的に参ってしまうわけですから、還暦を迎えたら海外旅行に行こうとか、昔なじみの友達と旧交を温めようとか、そういうのは生涯あったほうが良いと思います。もし、親自身がこうした自己愛充当の手段を全て失っていれば、教育ママ問題のように、子どもとの一体感を介した自己愛充当に依存してしまうかもしれません。仮にそれで子どもが上手く育ったとしても、親が子どもに心理的に依存しすぎれば、親離れ・子離れの季節になったとき、親子関係を適切に距離づけるのが難しくもなりそうです。

なので私は、子育て以外にも拠り所や楽しみは残しておいたほうが良いと思います。そういう意味では、子育てに入れ込みすぎる親よりは、仕事や趣味の領域にもアイデンティティを残している親のほうが、「子育ての皮を被った自分探し」の罠に陥らずに済みやすそうです。自分の満足や成長に充てる情熱／次世代の育成に傾ける情熱の比率も、いちがいに何％にすれば良いとは言いにくいところですが、ほぼ間違いないのは、どちらか一点集中型は危ない、ということです。

9　次の思春期のために、私達ができること

私達の思春期が終わっても、後には次の思春期を迎える子ども達が順番を待っています。私達がいつまでも思春期を続けていたら、子ども達の順番がつかえてしまうのではないでしょうか？　幸い、昨今の現状を見ている限り、齢を重ねた人々がいつまでも思春期ゾンビをやっていても、子ども達の手許には思春期への入場券がちゃんと配られるようです。

とはいえ、年長者の思春期延長の影響が皆無というわけではありません。昔の子ども達とは異なり、21世紀に思春期を迎える子ども達は、30代はもとより、40代、50代、場合によっては還暦を超えた人々までもが思春期に〝留年〟し続けているような、思春期心性の人口比が異様に高い状況で思春期のスタートを切ります。ということは、生殖性に目覚め、次世代の育成に心理的満足を見出すような大人が相対的に少なく、自分自身の自己愛を充たすためなら経験不足な若者に食らいついて憚らないような、そういう思春期ゾンビがウヨウヨしているなかで思春期という名のレースを始めなければならないのです。

現在の社会風潮としては、「俺はもう隠居する」「私は思春期モラトリアムをやめて養う側になる」といった宣言はあまり聞かれません。それどころか「40代になっても女子」「60歳からが人生の本番」だのといったフレーズを耳にするぐらいですから、少なからぬ現代人は、壮年期や老年期

の入り口で躊躇い、立ちすくみ、若さにしがみついたまま老いから目を逸らしたがっているのでしょう。ただ、こうした風潮は、今に始まったものではないようです。約40年前、土居健郎という精神科医が『甘えの構造』（1971）という本のなかでこんな一節を紹介していました。

最近（昭和44年8月22日）、毎日新聞紙上の視点と呼ばれる小さなコラムに、「生き遅れの季節」と題する次のような記事がのっていた。「カッコイイ」という流行語がなまって「カッチョイイ」が流行りだしたが、これは幼児の舌足らずのしゃべり方への傾斜を示している。青春の季節は、大人に早くなりたい、子どもだとあなどられたくない、という生き急ぎの季節だと思っていたが、昨今はどうも生き遅れの季節であるらしい。

土居健郎『「甘え」の構造』（弘文堂、1971）より抜粋

「カッチョイイ」はともかく、「生き遅れ」に関してはそのまま現代人に当てはめられそうな指摘です。ちなみに昭和44年に20歳だった若者というのは、平成24年においては63歳、いわゆる団塊世代に相当します。そして、

さてこのような傾向が、子どもの天国といわれる日本だけのことではなく、現在世界全体で見られる現象であることは興味深いことである。もっとも日本は子どもの天国といっても、最近は

子どもが親に殺される例が後をたたないなど、子どもの天国というのは程遠い感がするが、しかしこれは子どももみたいな親がふえたためであって、子どもだけでは子どもの天国が生まれないことを示す格好の材料といえるであろう。

とも付け加えています。これまた現代の児童虐待やネグレクトを予見したかのような文章ですが、つまり、若さにしがみつき壮年期に進まない傾向は、私達のまさに親世代から観測されていた現象らしいのです。かわいいこと・若いことが歓迎され、大人びていること・歳をとっていることが忌避される風潮はもう何十年も前から続いていて、そんな人々を親とし、マスメディアを通して拡大再生産される若さへの憧れと老いへの不安を吸い込みながら育った後発世代が、ますます思春期的な若さを志向するのは、ごく自然な流れなのかもしれません。

しかし、経験面／経済面でも蓄積のある先行世代が人口上の多数派を占め続け、その少なからぬ割合の人がいつまでも思春期ゾンビとして何もかも自分自身の手許に抱え込もうとしている――そんな状況下で思春期に飛び込んだ子ども達は、無慈悲で頭数の多い年上のライバル達を跳ね除け、仕事や政治力や社会的地位を手にするチャンスを得られるのでしょうか？

年長世代の多くが、若年者を育てるべき対象としてまなざすことなく、自己充足に対する新たな脅威として踏み潰すことしか考えていないような状況下では、若年世代は非常に苦戦を強いられるだろうと思います※8。加えて、ネグレクトや虐待のように、思春期以前に大打撃を受ける子どもが多いことを思うにつけても、生殖性の芽生えない思春期ゾンビだらけの社会は、ほんとうに持続可能な・成長可能な社会たりえるのでしょうか？

※8　私は年少者を徒に保護せよ、と言いたいわけではありませんし無条件で譲るべきと言いたいわけでもありません。厳しい下積みが必要なら手抜かりなくさせるべきですし、実力のほどはきちんと評価すべきとも思います。ただその際に、若者を排除・搾取する意識に基づいてやるのと、いつか自分をも乗り越えて育って欲しいという意識でやるのでは、年少者のスキルアップも、年長者―年少者の関係性も、違ってくるんじゃないかと言いたいのです。

未来への可能性を自分の手許に独占しようとしても、どうせ遠からず老いがやってきますし、自分が死んだ後に残るのは、後の世代に為したこと・遺したことだけです。だから、いつまでも我利我利亡者を続けるのではなく、可能性という名のバトンを次の世代へと手渡したほうが、中年期以降の心理的適応という面でも、次世代の成長と発展を促す面でも、望ましいと私は思います。またそのような可能性の継承を、子育てに直接参加していない人でも体験しやすい社会システムの出現を期待せずにいられないのです。

10　命が循環していく社会へ

この数十年間、世の中の人々は、個人の生の期間を延ばし、個人の生活の質を充足させることをひたすら追い求めてきました。その結果、日本人の平均寿命は未曾有の長さになり、その長い人生をたくさんのモノに取り囲まれながら自由に生活できるようになりました。本書冒頭で記したように、これは間違いなく「豊かさ」です。

とはいえ、こうした「豊かさ」も私達に永遠の思春期を与えてくれたわけではなく、老いや死といった人生の後半生がなくなったわけでもありません。この先、アンチエイジングや美容技術がどれだけ進歩しようとも、老いや死は私達の運命であり、生の一部であり続けるでしょう。多くの現代人は思春期にしがみついていますが、これは、人間の一生の一季節に固執することであり、人生の他の季節を軽視していると言わざるを得ません。そして、命が引き継がれていくこと、世界が引き継がれていくことに鈍感過ぎる世界観だとも思います。

思春期が素晴らしい季節なのは言うまでもありませんが、壮年期には壮年期の、老年期には老年期の喜びや悲しみがあるのではないでしょうか。その喜びや悲しみを脇に押しのけたまま、思春期の抜け殻を後生大事に纏い続けることが、本当に人生を豊かに・大切にしていると言えるのでしょうか。その意味を今一度問い直すべき時期に来ていると思います。

そして、私達自身が老いて死んでいったとしても、それで世界が終わってしまうわけでも、全てが消えてしまうわけでもありません。私達が老いた後には年下の人達が残され、彼らが後の時代を引き継いでいきます。自分の身に栄華や技能をかき集めたところで、せいぜい数十年で朽ちていくものですが、年少者や子ども達に分け与えた技能や財産は、私達が老いた後の社会・死んだ後の世界にもなにかしら引き継がれ、後世へと伝えられていきます。同じく、私達個人がスタンドアロンに自己愛を充たし続けても自分のメンタルヘルスを維持する以上の効果は無く、老いさらばえた後には何も残りませんが、世代間で自己愛充当を共有できれば、自分の心理的充足が得られると同時に、年少者をも満足させ、さらには年少者の自己愛が成熟していく糧にもなるのです。

こうした、「後の世代に技能や自己愛のバトンを渡しながら、自分も心理的に充たされる」というライフスタイルは、年少者の未来を耕すという社会的意義に貢献するだけでなく、老境に到達した後、一生懸命に生きた果てに何を残したのかを振り返る際の心境にも影響を与えるでしょう。年少者の未来に何も残さず、何も与えず、スタンドアロンに生きスタンドアロンに死んでいく人は、「死＝無」という暗闇を直視しなければならず、そのためには、とても強い心か鈍感な心を必要とするように思えますが、そういう心を持った人は多くないと思います。

対して、（実子でなくとも）年少者の未来に何かを与え、年少者に何かを為して老境を迎えた人には、「私が死んだ後にも、多くのものが引き継がれる」というささやかな手応えが残されるでしょう。年長者から伺う限り、この手応えは、老いや死を追放できるような大仰なものではなさそうですが、老年期の景色の見え方を多少なりとも左右するもののように聞こえます。

老年期でも思春期でもない、壮年期の重要性

「後の世代に技能や心のバトンを渡しながら、自分も心理的に充たされる」のに一番適している人生の季節は、老年期でも思春期でもなく、壮年期です。思春期心性にしがみつき続けた人が一足飛

びに老年を迎えてしまった場合、このような「私が死んだ後にも、多くのものが引き継がれる」という手応えはあまり得られないでしょう。

私は、社会や年少者の未来という視点から見ても、高齢になった後の心理適応という視点から見ても、思春期から壮年期へ、やがては老年期へとギアチェンジしていくほうが長期的に見て上手くいきやすいと思っています。こうした思春期から壮年期以降への心理的なギアチェンジは、今ではかつて無いほど軽視され、難しくもなっていますが、少子高齢社会を迎えた今だからこそ、まじめに考える価値があるのではないかと思います。そして、思春期的なライフスタイルにばかり最適化され、壮年期以降のライフスタイルや子ども時代の自発性の芽生えにあまり向いていない、現行の社会システムや生活空間についても見直す時期に来ているのではないかと思っています。

もちろんこれは、「言うは易く行うは難し」というやつで、本書で取り上げてきた問題は、社会全体のレベルでも、個人単位のレベルでも、そう簡単に変えられるとは私も思っていません。ニュータウンの暮らしのなかで個人単位に分断され、スタンドアロンな自己充足に傾きがちな私達が、他人と一緒に自己愛を充たしあうのも、次世代の成長に喜びを見いだすのも、そんなに簡単ではないかもしれません。昭和時代の集団的な自己愛充当をコピーすれば良いかというと話はそう単純ではなく、そんな事をすれば〝しがらみ〟や〝地域による拘束性〟が強すぎる社会が戻ってきてしまいますし、高度成長期の日本企業のような、社員が家族や子育てに関われない時代を手本とするわけにもいきません。本章で何度か使った「後の世代に技能や心のバトンを渡す」というフレーズにしても、戦中に禍々しい突然変異を遂げたことを思えば、急進的に・乱雑に取り扱って良いものではないでしょう。ですから、21世紀の社会環境や生活空間がどうあるべきかを考えるのはとても難しいことだと思いますし、一介の精神科医に過ぎない私には正直よくわからないところです。

今を生きる私達が未来をつくる

とはいえ、不自由な〝しがらみ〟に束縛され過ぎた社会から、自由で孤独すぎる社会に急激に移行したそのツケは、どこかで誰かが精算しなければならないのもまた事実です。そのためにも、できるだけ多くの人がこの問題を直視し、知恵を絞り合ったり協力しあったりして欲しいと思います。なにより、次の世代にバトンを渡すということの個人的／社会的意義について思いを馳せて欲しいと思います。もし本書がそうした討論のきっかけになるとしたら、筆者としてはとてもうれしいと思います。

ロスジェネ世代に限らず、いつの時代にもいつの世代にも、それぞれの苦しさや難しさがあったことでしょう。強い拘束性を伴っていた地域社会の暮らしや孤独なニュータウンの暮らしがそうであったように、これから新たに現れるであろう21世紀中頃の暮らしも、それはそれで度が過ぎれば未知の苦しみや難しさを生むかもしれません。それでも、不自由な〝しがらみ〟から自由な孤独へと時代のシーソーが揺れ動いた中間の時期に、比較的多くの人にとって過ごしやすく、過ごしにくい人にも何かしら希望があった一時代があったように、自由な孤独の時代から新しい時代へとシーソーが揺れ動く次の中間の時期にも、いくらか過ごしやすく、過ごしにくい人にも何かしら希望が持てる一時代があり得るのではないかと私は祈念します。そのためにも、未来を好ましい方向へと耕す努力を怠ってはならないと思います。

個人の心理的適応にしても、社会全体のシステムや環境にしても、新しい時代をつくっていくのは、私達を育てた過去の人々ではなく、今を生きる私達自身です。その、未来の命運を握っている私達自身が、未来に対して何を望み、どのような積み重ねを行っていくのか――個人それぞれのレベルでも、社会全体のレベルでも、そのことが今問われていると思います。

あとがき

この本ができあがる背景には、たくさんの人達の意志、縁、偶然がありました。

この本は、花伝社の編集者・佐藤恭介氏が私のブログ『シロクマの屑籠』を書籍化する企画としてスタートしました。氏から様々な助言と励ましを頂き、なにより、編集作業を通してひとまとまりの姿を与えてくださらなかったら、この本は誕生しませんでした。広大なインターネットの海から私を発見し、かつ書籍というフォーマットに導いたのは、氏です。この場を借りて深謝申し上げます。

その佐藤氏が私を発見する前段階として、インターネット上でさまざまなディスカッションを与えてくれた知己の存在がありました。この本の内容のうち、とくにインターネットに関する知識・経験は、日頃のネットコミュニケーションによるところが大きかったと思います。たくさんの人達との数え切れないやりとりから、知識・文献・インスピレーションを分けて頂いたことを、お礼申し上げます。それから、角川春樹事務所の中津宗一郎氏と早川書房の塩澤快浩氏にもお礼を言わせてください――あのときは家庭の事情もあって〝流産〟するしかありませんでしたが、内容はこの本に生かされたと思っています。

そして執筆をバックアップしてくれた嫁さん、ライフサイクルのなんたるかを身をもって教えてくれた家族や親族の全員、不出来な私を精神科医に仕上げてくださった先輩がたにも、お礼申し上げます。皆さんのおかげで、一冊の本ができあがりました。

Special thanks はこれぐらいにしておいて。

この本は、精神科医としての私と、90年代からオタクとしてネットにどっぷり漬かった私とが1：1ぐらいの割合で執筆した本だと自分では思っています。と同時に、子ども時代を地域社会で育ち、地域という枠外に出るや不登校になり、医学部に入ってからは国道沿いのニュータウンで過ごした、そういうロスジェネ世代の一人が書いた本らしい本になったとも思っています。

ですから、専門性という点では大学の先生方が書いた学術書に全く及びませんし、「私達の世代」という当事者性丸出しの一人称を使っているとおり、あまり客観的な本でもありません。そのかわり、

・病院で臨床活動をやっているだけでは見えないもの
・ニュータウン／地域社会どちらかだけで暮らしていては思いつかないこと
・順風満帆な社会適応だけの人間にも、徹底して不適応な人間にも気づきにくいもの
・オンラインだけ／オフラインだけ見ていても見逃しそうなもの

といった諸点を一人の人間のなかで結びつけた一視点としては、それなりにまとまった形をとれたのではないかと思っています。「あまり社会適応の良くなかった精神科医が、自己愛やアイデンティティの理論を、21世紀の日本社会やインターネットコミュニケーションに適用して眺めてみたら、こんな風景が見えてきた」――そういう本として、話半分くらいの気持ちで読んで頂けたらと思います。

本書を仕上げるにあたり、紙幅の都合でカットせざるを得なかったものも沢山ありました。例えば、第5章ではオタクのライフスタイルを紹介しましたが、オタクとはコインの裏表の関係にあるヤンキー（DQN）的なライフスタイルについては触れていません。また、第6章では思春期前半の人向けのアイデアも全てカットしました。そうした他の社会適応のスタイルやバリエーションについては、（ウェブサイトを含めた）他の場所・他の機会に紹介したいところです。

現代の日本社会は、いろいろと難しい社会情勢／社会環境になってきていますし、時代の潮目を迎えているようにも感じます。それでも、個人が（そして社会が）少しでもマシな未来に近づけるよう、それぞれに考え、それぞれに実践していければいいなと思います。また実践していくしかないでしょう。未来に向けて何を行い、何を積み上げていくのかを考えるにあたって、この本が読者の方になにかしらインスピレーションを与えたり、世代交代についての議論のきっかけになったりするなら、筆者としてはこれに勝る喜びはありません。

もう思春期が終わった人も、今まさに思春期を過ごしている人も、これから思春期を迎える人も、できるだけ良い未来を迎えられることを祈念します。

２０１２年９月25日　熊代　亨

主要参考文献

※引用した論文や報告については、本文中に記載。それ以外に参照したものを以下に記します。

■自己愛および自己愛パーソナリティ障害に関連して

『エロス論集』S.Freud著、中山元編訳（ちくま学芸文庫、1997）

『自己の分析』H.Kohut著、水野信義・笠原嘉監訳（みすず書房、1994）

『自己の修復』H.Kohut著、本城秀次・笠原嘉監訳（みすず書房、1995）

『自己の治癒』H.Kohut著、本城秀次・笠原嘉監訳（みすず書房、1995）

『自己心理学入門——コフート理論の実践』Ernest S. Wolf著、安村直己・角田豊訳（金剛出版、2001）

『自己愛の障害——診断的、臨床的、経験的意義』Elsa F. Ronningstam編、佐野信也監訳（金剛出版、2003）

『コフート理論とその周辺——自己心理学をめぐって』丸田俊彦（岩崎学術出版社、1992）

『自己愛人間』小此木啓吾（ちくま学芸文庫、1992）

『〈自己愛〉の構造——「他者」を失った若者達』和田秀樹（講談社、1999）

■そのほか心理学／精神医学関連

『DSM-Ⅳ精神疾患の診断・統計マニュアル』高橋三郎ほか訳（医学書院、1996）

『カプラン臨床精神医学テキスト第2版』井上令一、四宮滋子訳（メディカルサイエンスインターナショナル、2004）
『自我同一性　アイデンティティとライフ・サイクル』Erik H.Erikson 著、小此木啓吾訳・編（誠信書房、1973）
『幼児期と社会』Erik H.Erikson 著、仁科弥生訳（みすず書房、1977）
『モラトリアム人間の時代』小此木啓吾（中央公論新社、1981）
『夫婦関係の精神分析』Jurg Willi 著、中野良平・奥村満佐子訳（法政大学出版局、1985）
『甘えの構造』（増補普及版）土居健郎（弘文堂、2007）

■社会情勢や現代の生活について

『データで読む家族問題』湯沢雍彦（ＮＨＫブックス、2003）
『平成18年版　少子化社会白書　新しい少子化対策の推進』（内閣府、2006）
『日本民俗学概論』福田アジオ・宮田登 編（吉川弘文館、1983）
『日本の民俗』シリーズ（吉川弘文館、2009）
『父親なき社会――社会心理学的思考』Alexander Mitscherlich 著、小見山実訳（新泉社、1988）
『誰が生き残るか　プロテウス的人間』Robert J.Lifton 著、外林大作訳（誠信書房、1971）
『ナルシシズムの時代』Christopher Lasch 著、石川弘義訳（ナツメ社、1981）
『現代小学生の生活と意識』ＮＨＫ世論調査部編（明治図書出版、1991）

『ファスト風土化する日本――郊外化とその病理』三浦展（洋泉社、2004）
『若者はなぜ3年で辞めるのか？――年功序列が奪う日本の未来』城繁幸（光文社、2006）
『東京から考える――格差・郊外・ナショナリズム』東浩紀・北田暁大（日本放送出版協会、2007）
『絶望の国の幸福な若者たち』古市憲寿（講談社、2011）

■現代のサブカルチャーについて

『戦闘美少女の精神分析』斉藤環（太田出版、2000）
『東京大学「80年代地下文化論」講義』宮沢章夫（白夜書房、2006）
『消費社会の神話と構造』J.Baudrillard著、今村仁司・塚原史訳（紀伊國屋書店、1995）
『「おたく」の精神史　１９８０年代論』大塚英志（講談社、2004）
『別冊宝島１０４　おたくの本』、石井慎二編（ＪＩＣＣ出版局、1989）
『オタク学入門』岡田斗司夫（太田出版、1996）
『オタクはすでに死んでいる』岡田斗司夫（新潮社、2008）

※このほか、日頃インターネット上でお付き合いのある沢山のブログやアカウントからたくさんの知恵を分けて頂きました。

熊代　亨（くましろ・とおる）
1975年生まれ。信州大学医学部卒業。精神科医。地域精神医療に従事する傍ら、ブログ『シロクマの屑籠』にて現代人の社会適応やサブカルチャー領域について発信している。“精神科臨床で目にする「診察室の内側の風景」と、ネットコミュニケーションやオフ会を通して見える「診察室の外側の風景」との整合性”にこだわり、社会心理学的な考察を続けている。

ロスジェネ心理学――生きづらいこの時代をひも解く

2012年10月25日　初版第1刷発行

著者 ――熊代　亨
発行者 ――平田　勝
発行 ――花伝社
発売 ――共栄書房
〒101-0065　東京都千代田区西神田2-5-11出版輸送ビル2F
電話　03-3263-3813
FAX　03-3239-8272
E-mail　kadensha@muf.biglobe.ne.jp
URL　http://kadensha.net
振替 ――00140-6-59661
装幀 ――黒瀬章夫（ナカグログラフ）
印刷・製本 ―シナノ印刷株式会社

ISBN978-4-7634-0647-7 C0011